BIEN SAVOIR
ÉCRIRE
UNE LETTRE

© Juin 1997. Editions Gisserot. Cet ouvrage a été imprimé par Pollina - Production de livres S.A. Luçon 85. La couverture a été tirée par Raynard, La Guerche de Bretagne 35. La composition et la mise en page ont été réalisées par Nelson Martinez dans le studio des éditions Gisserot.

N° d'impression : 73727 Imprimé en France

Laure France

BIEN SAVOIR ÉCRIRE UNE LETTRE

EDITIONS JEAN-PAUL GISSEROT

Avertissement à l'utilisateur

Se donnant pour ambition première de faciliter la tâche, aussi bien de celle qui hésite à se lancer devant une feuille blanche, avec pourtant en tête des "choses à dire" à un éventuel correspondant, que de celui qui n'oserait dire ce qu'il va essayer d'écrire à une interlocutrice absente, cet ouvrage, tout en joignant autant que possible l'utile à l'agréable, n'a jamais la prétention de répondre à toutes les exigences des règles épistolaires : les écoles de secrétariat, d'une part, remplissant parfaitement leur office en ce qui concerne les conventions relevant du domaine strictement professionnel ; et d'autre part, les lois civiles, les usages du monde, ainsi que les traditions ancestrales touchant à la vie privée, évoluant sensiblement sans qu'il soit possible désormais de se référer à des normes précises.

Aussi bien, étant donné l'infinie variété des cas de figures, les lettres insérées dans ces pages ne seront jamais offertes comme des modèles du genre, mais présentées à titre d'exemples référentiels ; et si, dans un souci de crédibilité qui aura dicté leur choix — qu'il s'agisse de lettres authentiques dont les identités auront été changées, ou bien de missives factices rédigées dans le sens de l'efficacité — il s'y glissait parfois un ton, des sentiments, une passion, où s'y révélaient des goûts, voire des opinions, ce serait toujours dans le même dessein de souligner, pour les besoins de la cause, une intention ou attitude d'un présumé signataire voulant atteindre un objectif, qu'elles auraient trouvé place dans ce volume.

Personne, en conséquence, ne pourrait formellement s'y reconnaître, pas plus que moi-même d'ailleurs, et encore moins se formaliser de concordances qui ne seraient que fortuites, une aimable fantaisie ayant présidé à la sélection et à la rédaction des lettres citées, à l'exception bien entendu des lettres célèbres, qui seront, elles, fidèlement évoquées pour l'édification et l'agrément du lecteur.

INTRODUCTION

Verba volant, scripta manent
(Les paroles s'envolent, les écrits restent).

Écrire est un acte de réflexion

On ne prend pas sa plume comme on décroche le téléphone. On choisit ses termes, on les mesure, on les pèse, puis on prend le temps de les poser *"sur le vide papier que la blancheur défend"* (Mallarmé). Enfin, on relit, on rature, on jette la feuille au panier... et on recommence : *"Cent fois sur le métier remettez votre ouvrage"* (Boileau). Parce qu'elle impose la réflexion, la lettre est un moyen inégalé d'enrichir la connaissance que nous pouvons avoir de nous-mêmes et des autres, d'approfondir une relation humaine.

Écrire est un acte d'attention

Il est des circonstances où rien ne saurait remplacer l'écrit pour communiquer avec autrui : lorsqu'il est absent, lorsqu'une distance (géographique ou psychologique) nous sépare de lui, d'une façon générale chaque fois que ce que nous voulons exprimer ne peut pas se dire autrement que par écrit ou lorsque nous voulons qu'il en reste une "trace". C'est la meilleure façon de dire à ceux que l'on aime que l'on pense à eux, de leur donner des nouvelles, de s'informer de leur santé, de les remercier ou de les féliciter, de leur souhaiter une fête ou un anniversaire, en un mot de leur prouver qu'ils sont dans nos pensées et dans notre cœur. C'est aussi un moyen de les aider à supporter un chagrin, une maladie, de leur annoncer un événement ou de leur demander un service. Il est des circonstances où un coup de téléphone ne saurait avoir le même impact qu'une lettre personnelle bien sentie (cf. *Les qualités de la lettre*).

Écrire est un acte de civilité

Malgré le développement des télécommunications qui permet aux interlocuteurs d'échanger des paroles à distance, l'usage de la lettre, s'il tend à se faire plus rare, n'a heureusement pas totalement disparu. Réservé le plus souvent aux occasions (grands événements de la vie), il devrait s'imposer lorsque les circonstances ne justifient pas la précipitation des prises de contact et des échanges téléphoniques.

Ainsi, par exemple, on ne téléphone pas à un ami malade. Le téléphone est réservé à un usage limité : demander un rendez-vous, lancer une invitation, prévenir d'un retard ou d'un empêchement. Instrument précieux, il peut se révéler une abominable intrusion, un esclavage lorsqu'il est utilisé de façon abusive :

> *"Lorsqu'un petit rocher, lourd et noir,*
> *portant son homard en anicroche*
> *s'établit dans une maison, celle-ci*
> *doit subir l'invasion d'un rire aux accès*
> *argentins, impérieux et mornes."*
>
> Francis Ponge.

La lettre est le moyen de limiter les appels, d'établir un contact moins intempestif et moins superficiel afin que soit respectée l'intimité du correspondant.

Écrire est un acte de confiance

Correspondre, c'est engager en retour (*spondere* en latin, signifie : promettre solennellement, sur l'honneur ; assurer, garantir, se porter fort, prendre l'engagement, donner l'assurance). Écrire c'est prendre un risque. Un risque qui peut trouver récompense dans l'ouverture des portes de l'amitié, mais un risque tout de même. C'est pourquoi il importe de bien mesurer les conséquences de son acte avant d'envoyer une lettre : c'est toujours une part de vous que vous livrez…à l'inconnu.

L'échange épistolaire suppose un rapport de conformité mutuelle, ou du moins la recherche d'un accord, si ce n'est la parfaite harmonie ("Parce que c'était lui, parce que c'était moi", Montaigne).

De votre côté, ne trahissez pas cette confiance : "La grande question dans la vie, c'est la douleur que l'on cause, et la métaphysique la plus ingénieuse ne justifie pas l'homme qui a déchiré le cœur qui l'aimait" (*Adolphe,* Benjamin Constant). Elle impose des devoirs, ceux de la plus élémentaire politesse : discrétion et réponse assurée. "Toute lettre mérite réponse" : ne la différez pas trop, il est tellement plus simple de répondre aussitôt la lettre reçue, lorsque les mots de votre correspondant sonnent encore à vos oreilles ; ou le lendemain, si vous désirez réfléchir davantage… vous disposez, présents dans votre esprit, de tous les éléments de réponse. Faites au moins un brouillon afin que la réponse soit en train. Sinon, plus vous attendrez, moins vous aurez le courage de suspendre le cours de vos activités pour vous rendre disponible au correspondant négligé : il vous faudra, outre la recherche de la lettre oubliée et la relecture, présenter des excuses…

Un remerciement, une excuse, des félicitations doivent être envoyés dans les vingt-quatre heures. Une lettre d'affaires peut attendre davantage, pas trop cependant, sinon le temps de la réflexion. En amitié, il n'y a pas de "cadence" épistolaire : seul le plaisir compte. Mais si les lettres sont peu fréquentes, elles doivent faire un tour d'horizon de tout ce qui peut intéresser l'ami ou l'amie. Cependant ne l'oubliez pas, il (ou elle) vous attend, livré(e) à la "folle du logis" : l'imagination. Épargnez à votre correspondant les affres de Cicéron écrivant à son ami Atticus qui séjournait alors à Athènes, en 67 avant Jésus-Christ :

"C'est à de trop rares intervalles qu'on me remet une lettre de toi, alors qu'il t'est plus facile de trouver des gens partant pour Rome que je n'en puis trouver partant pour Athènes, et que tu es plus assuré de ma présence à Rome que je ne le suis de la tienne à Athènes. Cette incertitude est cause de la brièveté de la présente lettre, car, étant dans le doute sur ta résidence, je ne veux pas que notre correspondance intime tombe entre des mains étrangères."

…D'autant que, vous ne pouvez alléguer l'excuse des risques et des difficultés que présentait autrefois l'acheminement du courrier !

Écrire est un acte de civilisation

Le développement de la correspondance a toujours été lié à celui des moyens de communication et à celui de la vie sociale. Correspondance, conformité, commerce, communication, autant de mots au préfixe placé sous le signe de la mise en commun et de l'échange (co-, variante du *cum* latin "avec", c'est-à-dire : réunion, adjonction, simultanéité) apparus au XIVᵉ siècle pour désigner le trait d'union entre les hommes, les relations sociales.

De la même façon que la création d'un vaste réseau routier par les Romains avait permis qu'un important échange de lettres s'établisse autour du bassin méditerranéen, le développement des voies de communication à la fin du Moyen Âge facilite la mise en commun des biens matériels et spirituels, le commerce au sens large que le mot prendra au XVIᵉ siècle : c'est la Renaissance qui s'annonce. Ces échanges qui se multiplieront au fil des siècles supposent des rapports de conformité, des relations, la recherche d'un accord entre les hommes, c'est-à-dire une entente, et cette entente passe par le langage (la langue : "la meilleure et la pire des choses", selon Ésope).

En France, c'est seulement au XVIIᵉ siècle que l'organisation des relais de poste permet aux particuliers de correspondre facilement entre eux. La lettre devient alors un véritable genre littéraire : on en lit dans les salons, on publie des recueils de lettres dont le plus célèbre est celui des *Lettres* de Madame de Sévigné, publiées après sa mort. C'est d'ailleurs au siècle de la marquise épistolière que le mot "correspondance" a pris le sens que nous lui connaissons : relation par écrit entre deux personnes, échange de lettres, courrier.

Écrire est un acte de convention sociale

Les Romains cultivaient l'*amicitia,* c'est-à-dire un type de relations humaines proche de ce que nous appelons amitié, mais incluant les relations d'affaires, les échanges de services intéressés. Mais peu à peu, deux grands types d'échanges épistolaires se sont dégagés et si certaines règles de présentation sont communes, il importe de nos jours de distinguer et de respecter le système de convention qui régit chacun d'eux afin de ne pas commettre d'impair et d'adapter le type de lettre (mode de présentation, ton, style, etc.) aux circonstances (âge, grade, personnalité du correspondant, attente du signataire) :

— *La correspondance privée.*
— *La correspondance d'affaires.*

On n'écrit jamais à la légère, nous l'avons vu, mais l'engagement écrit prend davantage de gravité dans le cadre de la correspondance d'affaires : il devient "ACTE*" officiel et cette trace écrite demeurera un document qui pourra, selon l'usage qu'on en fera, constituer un jour une charge contre vous si vous ne respectez pas la parole écrite. Il convient donc d'une manière générale de bien réfléchir avant d'écrire et de mesurer vos propos suivant le type de relation épistolaire, la personnalité du correspondant et les circonstances de l'échange. L'idéal classique de "l'honnête homme" du XVIIᵉ siècle : CLARTÉ, ÉQUILIBRE, MESURE, MODÉRATION, CONCISION,

---

* Acte est pris ici au sens juridique du terme.

est toujours de règle en matière épistolaire afin que soient limités les "incidents de parcours".

Écrire est un art

Si l'on trouve aujourd'hui généralement plus simple de décrocher le téléphone et si l'on ne se décide à écrire le plus souvent que des lettres en style télégraphique où l'on se contente de raconter brièvement les faits essentiels sans se complaire dans les détails, au lieu d'approprier le ton et le style de la missive à la situation, c'est qu'on a perdu l'habitude de s'exprimer. Il est faux de dire : "Vous savez penser donc vous savez écrire", parce que l'homme moderne manque d'entraînement dans les deux cas de figure : penser et écrire.

De sorte que pour bien des personnes, écrire une lettre est devenu une sorte de *pensum,* voire de hantise. Ainsi pour citer le porte-parole de l'idéal classique :

"Il est certains esprits dont les sombres pensées
Sont d'un nuage épais toujours embarrassées ;
Le jour de la raison ne le saurait percer.
Avant donc que d'écrire apprenez à penser.
Selon que notre idée est plus ou moins obscure,
L'expression la suit, ou moins nette, ou plus pure.
Ce que l'on conçoit bien s'énonce clairement,
Et les mots pour le dire arrivent aisément."

Nicolas BOILEAU
l'Art poétique (Chant I).

Mais il n'est pas trop tard pour bien faire. Écrire est un art (au sens premier de technique) qui se cultive. Restez naturel et personnalisez votre style : le naturel est aussi un critère de l'honnête homme du XVIIe siècle : "La principale règle" n'est-elle pas "de plaire et de toucher" (Racine) ? Mieux vaut une faute de langue qu'un défaut du cœur lorsqu'il s'agit d'échanges amicaux : le véritable ami sait ne pas voir quand il le faut et lire entre les lignes. La première règle est de ne jamais manquer de répondre bien vite à la main tendue de l'amitié.

Ainsi l'acte d'écrire, loin d'être une corvée, devient un plaisir, un mouvement naturel, un élan de l'âme et du cœur, un art au sens le plus élevé du terme cette fois. L'aisance et la simplicité du style, l'art des nuances découleront de l'habitude. De l'habitude naîtra aussi la confiance en soi, véritable clé du succès.

"Nullus dies sine linea" (Pas un jour sans une ligne) : adoptez la devise de Ingres (qui avait décidément plusieurs cordes à son violon), si vous ne voulez pas connaître les affres de Caboussat qui, parce qu'il ignorait les règles de l'orthographe et de la grammaire, préféra s'entailler le doigt plutôt que d'écrire une lettre sous la dictée d'un collègue (*La Grammaire* de Labiche). La dignité de l'homme est de se tenir debout, un outil dans le prolongement du bras ("homo habilis") ; mieux encore, un stylo au bout des doigts ("homo sapiens"). Entraînez-vous à faire courir votre pensée et votre plume à la même cadence, comme vous faites travailler les muscles du corps afin qu'ils ne soient pas froids au moment de l'effort. Pourquoi ne pas commencer par tenir un *Journal* ? S'il est plus difficile d'écrire une lettre courte, précise, élégante, que de laisser courir sa plume, commencez par laisser votre esprit gambader au brouillon, la concision des grands épistoliers classiques viendra plus tard.

"Le talent n'est qu'une longue patience. Travaillez" (Buffon).

I

LA LETTRE : CONSEILS GÉNÉRAUX

A. LA PRÉSENTATION

La première impression doit être "la bonne", aussi adoptez l'idéal classique : CLARTÉ, ÉQUILIBRE, CONCISION.

Le papier

• *Choisissez d'abord un papier de bonne qualité* afin qu'il ne se froisse pas facilement et qu'on ne lise pas en transparence le texte écrit au verso, ce qui est gênant pour la lecture (réservez le "papier-avion" pour la situation appropriée). DE LA TENUE ET DE LA PROPRETÉ, tels sont les premiers principes de la CLARTÉ.

Le papier sera BLANC (le "papier-machine" peut être utilisé dans la plupart des cas), ou de COULEUR CLAIRE (bleu ciel, gris, beige, jaune pâle ou parcheminé, etc.). Le papier toilé est de bon goût, de même que le "papier à en-tête" (évitez toutefois les monogrammes prétentieux, et l'inventaire de vos titres et qualités dans le cadre de la correspondance privée).

Évitez le rose (mièvre et trop commun pour la correspondance féminine) ou les couleurs agressives (sauf s'il s'agit de lettres courtes et amusantes). Proscrivez-vous l'usage du papier à lettres avec lignes imprimées ou du papier d'écolier — glissez-les plutôt sous votre feuille, si vous craignez de ne pas respecter le bon alignement des mots dans la page, et suivez les lignes en transparence —, et surtout... du "papier fantaisie", d'un goût souvent douteux, et tellement quelconque !

Apprenez plutôt à personnaliser vous-même votre papier à lettres (pensée : fleur séchée ou citation en exergue) : cf.II. *Composantes de la lettre : l'en-tête.*

• *Le format* dit "commercial" (environ 21 x 29,7) est couramment utilisé : il est indispensable dans le cadre de la correspondance "d'affaires" où la lettre sera dactylographiée sur papier-machine normalisé (cf. *La lettre impersonnelle*). Le petit format (environ 20,5 x 14,5) est préférable pour les brèves missives ; mais bien souvent, un simple bristol, blanc ou de couleur (le format peut être supérieur à celui d'une carte de visite courante), ou une carte postale bien choisie (reproduction de tableau par exemple) remplaceront avantageusement une lettre, dans la plupart des cas de figure de la correspondance courante.

L'enveloppe

Elle sera de format standard (16 x 11,3) et vous plierez la lettre en quatre de telle façon que ce seront l'en-tête (s'il y a lieu) et la formule d'appel qui apparaîtront à l'ouverture ; l'enveloppe de forme allongée est plus élégante (environ 22 x 11) : la lettre sera alors pliée en trois et ce seront l'en-tête, la formule d'appel, le lieu et la date qui apparaîtront au destinataire au moment de l'ouverture (les références du destinataire, les vôtres, l'objet de la lettre et les pièces jointes s'il s'agit d'une lettre "d'affaire").

• *L'adresse* sera clairement écrite, parfaitement lisible (ou tapée à la machine s'il ne s'agit pas d'une lettre de caractère privé) et bien cadrée :

Monsieur Pierre Laval
185, rue de Paris
0600 NICE

— Si vous glissez vous-même la lettre dans la boîte aux lettres du destinataire, précisez (E.V.).
— Si votre correspondant loge chez une autre personne, mettez :
Monsieur Pierre Laval
c/o M. Armand Duval

c/o signifie "care of" (aux bons soins de).
(E.V.) signifie "en ville".

Précautions à prendre :
— *Ne manquez pas de mentionner vos coordonnées au dos de l'enveloppe :*
• La lettre pourra vous revenir et vous serez ainsi avisé qu'elle n'est pas parvenue au destinataire, en cas d'adresse erronée ou de changement d'adresse du destinataire.
• Si votre écriture n'est pas bien connue du destinataire, votre signature indéchiffrable et que vous ne mettez pas d'en-tête, elles renseigneront votre correspondant sur l'expéditeur de la lettre. Pensez-y !
— Si vous envoyez plusieurs lettres le même jour, *vérifiez que vous avez glissé "la bonne lettre" dans l'enveloppe correspondante* ; de même, si vous écrivez vos cartes postales en série, ne confondez pas les adresses. Ces précautions élémentaires vous permettront d'éviter de commettre des impairs, parfois cocasses (votre vénérable professeur recevant les mots tendres destinés à votre fiancé), parfois impardonnables si vous permutez lettres de félicitations et condoléances (c'est arrivé à une secrétaire de mairie débordée, ou…distraite !), voire irrémédiable. Le cas extrême est celui de Franz Werfel qui adressa une lettre d'amour destinée à Alma Mahler…au mari de cette dernière, le compositeur Gustav Mahler : *lapsus calami* (faux pas de la plume), indice de mauvaise conscience ? C'est une histoire vraie qui ne se termina heureusement pas en tragédie.

L'écriture

• *Écrivez au stylo-plume* : l'encre sera foncée, de nature à se détacher nettement sur le papier (bleue, noire ou violette). Proscrivez-vous "le Bic" peu respectueux, voire désinvolte, l'encre rouge (agressive), ou verte (peu lisible et fantaisiste). Le stylo-plume améliorera votre calligraphie (évitez tout de même les "pâtés"). Attachez-vous à bien former vos lettres.

Vous écrivez pour être lu : ménagez les yeux et la patience de votre destinataire, rendez lui la lecture facile, sinon possible (sic !).

• Même si votre lettre n'est pas susceptible d'être analysée par des graphologues à l'instar des lettres de demande d'emploi, sachez qu'une écriture penchée vers la gauche est moins bien perçue qu'une écriture droite ou penchée vers la droite (certains y décèlent même l'indice d'un caractère renfermé, voire sournois).

• *Respectez l'alignement des mots dans la page* : évitez de les laisser tomber en fin de ligne (les lignes qui descendent sont aussi moins bien interprétées que celles qui montent) : glissez au besoin sous votre feuille un modèles aux lignes imprimées pour vous guider en transparence.

• La signature sera parfaitement identifiable, au cas où vous omettriez d'indiquer votre adresse au dos de l'enveloppe et négligeriez l'en-tête.

• *Proscrivez-vous l'usage de la machine à écrire pour les lettres de caractère privé* (familiales, amicales ou mondaines) : prendre la plume pour écrire est une marque d'attention, d'égards, voire d'affection et de respect.

• Dans le cadre de la correspondance d'affaires (lettres impersonnelles adressées à des organismes ou à des particuliers pour régler des questions qui sortent du cadre de votre vie privée), la lettre sera bien-sûr dactylographiée sur papier-machine blanc.

La composition

Être bien clair avec soi-même : Quelles sont vos intentions ? Connaissez-vous précisément votre attente (s'il y en a une) ? Savez-vous bien à qui vous écrivez ?
"Ce que l'on conçoit bien s'énonce clairement,
Et les mots pour le dire arrivent aisément."
N. BOILEAU.

Utilisez, pour vous aider à y voir clair en vous, l'hexamètre mnémotechnique transmis par Quintilien qui renferme ce qu'en rhétorique on appelle les circonstances : "Quis, quid, ubi, quibus auxiliis, cur, quomodo, quando ?" (Qui, quoi, où, par quels moyens, pourquoi, comment, quand ?).

• *Écrivez avec méthode :* commencez votre travail de rédaction au brouillon par le (ou les) paragraphe central qui représente le corps de la lettre, le début et la fin suivront naturellement : si le début de la lettre présente son objet, le (ou les) paragraphe central l'exprime, la fin de la lettre se réservant de conclure.

Organisez l'agencement des différentes parties de votre lettre à partir d'un plan rigoureux :
1. Exposition des circonstances (introduction).
2. Précision de l'objet de la lettre ou formulation de la demande (développement).
3. Rédaction d'une formule de politesse finale judicieusement choisie (conclusion).

Appliquez-vous à ce travail de décomposition au brouillon ; soignez tout particulièrement les passages de transition, le (ou les) paragraphe central, qui permettent de passer logiquement d'une idée à une autre, et surtout respectez la règle de l'expression d'une idée par paragraphe.

• *Ne négligez pas le premier travail de rédaction au brouillon :* n'écrivez pas "au fil de la plume". Les lettres qui paraissent les plus naturelles sont généralement les plus travaillées. Elles sont le fruit d'un entraînement — *"Nullus dies sine linea"* (Pas un jour sans une ligne), telle était la devise de Ingres — ou d'un patient travail de révision et de corrections successives — "Vingt fois sur le métier remettez votre ouvrage", N. Boileau. Et quand bien même vous y perdriez en spontanéité, n'est-il pas préférable d'y gagner en correction et en clarté ?

• *Écrivez correctement et rédigez clairement :* vous écrivez pour être lu, aussi rendez votre discours accessible. Rien de plus pénible pour le lecteur que les phrases alambiquées, les propos décousus et confus dont il a du mal à suivre le fil. Rien d'impénétrable comme les textes "hérissés" d'incorrections : fautes d'orthographe ou de style (expressions lourdes, répétitions et maladresses de toutes sortes). Supprimez donc les fautes et les ratures qui gênent la lecture. *"De deux mots, il faut choisir le moindre"*, P. Valéry. Pour éviter que votre lettre forme une masse compacte et indigeste, un travail de réflexion et de premier jet au brouillon s'impose.

• *N'écrivez pas de lettres trop longues :* le principal défaut est de vouloir tout dire : essayez encore une fois de ne pas abuser de la patience de votre correspondance et proscrivez tout bavardage. Apprenez à distinguer l'essentiel de l'accessoire afin que votre propos puisse être clairement perçu : *"Tout ce qui est excessif est sans portée"*, Talleyrand. Méfiez-vous des lettres-confidences qui risquent de fatiguer le lecteur — réservez l'expression de vos états d'âme à votre journal intime où vous pourrez laisser librement, et sans risque, votre esprit *"gambader"*, Montaigne — il est plus difficile d'écrire une lettre courte, précise, élégante que de laisser courir sa plume, mais cet effort de tenue est plus respectueux du destinataire.

• *Méthode, clarté et concision* sont les qualités premières de l'épistolier :
"Je n'ai fait celle-ci plus longue que parce que je n'ai pas eu le loisir de la faire plus courte." (B. Pascal, *Les Provinciales*).

Rappel des précautions à prendre :
• Composez votre lettre à partir d'un plan rigoureux.
• Rédigez au moins une première fois au brouillon.
• Faites-vous corriger si vous n'êtes pas sûr de vous.
• Recopiez proprement et relisez-vous plusieurs fois.
• Numérotez les pages de votre lettre si elle en comporte plusieurs.

Le cadrage

Développez une seule idée par paragraphe : aérez votre lettre. Pour cela, respectez :

• *Les marges :* de 2 à 4 cm à gauche, 2 cm à droite ; le texte ne doit pas atteindre les bords de la feuille : ni à gauche, ni à droite, ni au bas de la page. Évitez d'écrire dans les marges (encore que ce ne soit pas impératif pour les lettres de caractère familier).

• *Les alinéas* au début de chaque paragraphe (encore que ces retraits ne soient pas obligatoires pour les lettres dactylographiées).

• *Les interlignes :* ayez soin de sauter une ligne entre chaque paragraphe.

Schéma approximatif de cadrage d'une lettre de caractère privé

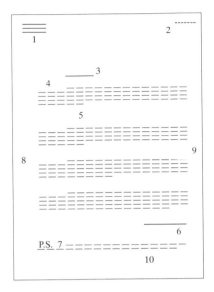

1. L'en-tête (vos coordonnées).
2. Le lieu et la date.
   Ex. : Paris, le 2 juin 19..
3. La formule d'appel. Ex. : Cher Pierre,
4. Alinéa.
5. Interligne.
6. Signature
7. Post-scriptum (s'il y a lieu).
8. Marge de gauche
   (plus importante : de 2 à 4 cm).
9. Marge de droite (2 cm).
10. Espace blanc laissé au bas de la feuille.

Si votre lettre est composée de plusieurs pages, numérotez-les.
La formule d'adieu ne figurera jamais seule au verso.

Schéma approximatif de cadrage d'une lettre "d'affaires" dactylographiée

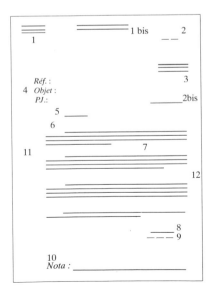

1/1 bis. L'en-tête (2 possibilités).
2/2 bis. Le lieu et la date (2 possibilités).
3. Les coordonnées du destinataire.
4. Références. Objet de la lettre. Pièces jointes.
5. Formule d'appel.
6. Alinéa (ils ne figurent pas toujours dans ce type de lettres).
7. Interligne.
8. Signature dactylographiée.
9. Signature manuscrite au-dessous.
10. Nota (s'il y a lieu).
11. Marge de gauche (au moins 2,5 cm).
12. Marge de droite (au moins 2 cm).
13. Espace blanc laissé au bas de la lettre (au moins 1 cm).

Cf. Schéma normalisé utilisé par les secrétaires professionnelles.

Mode de présentation et composantes d'une lettre de caractère privé

La correspondance "personnelle", dans ce *Guide,* comprend les lettres manuscrites adressées à titre privé à des proches (membres de la famille, amis, etc.) ou à des "relations".

Présentation de la lettre :

(1)
(Brins de lavande
et de lavandin)

(2)
Laval, le 15 août 19..

(3) *Ma chère Martine,*

(4) *Ces brins de lavande et de lavandin cueillis près de Manosque le jeudi 23 juillet pour t'accueillir à ton retour de vacances et te dire doublement ma joie : celle de recevoir avec ce "brin de soleil", des nouvelles de toi et des tiens, celle encore de revenir grâce à ta jolie carte du Verdon trois semaines en arrière (déjà !), lorsque le soleil et le chant des cigales sentaient encore les vacances et le "charme de mon pays".*

(5) *Les gorges du Verdon, Aiguines, le lac de Sainte-Croix — où tu dois encore t'adonner au plaisir de la planche à voile —, Moustiers et Manosque (la maison de Jean Giono), c'était le 23 juillet...*

(6) *Aujourd'hui il pleut et cela sent déjà la rentrée... mais j'ai pris beaucoup de plaisir à revivre avec toi la route des vacances. Merci de tout cœur pour ce "brin de soleil" !*

(7) *Reçois, avec mon amitié, de gros baisers à partager avec ta famille.... Et profite jusqu'au bout de ces vacances tellement méritées !*

(8) *Virginie*

(9) *P.S. : N'oublie pas de faire des photos !*

Composantes de la lettre :

1. L'en-tête (il n'est pas indispensable pour ce type de lettre) : mettez plutôt à la place une "pensée" (fleur séchée ou citation en exergue, photographie, dessin, etc.).
2. Le lieu et la date.
3. La formule d'appel.
4. Le début de la lettre.
5. Le début d'un paragraphe (ou développement).
6. La fin de la lettre.
7. La formule de politesse.
8. La signature.
9. Le post-scriptum (ne pas en abuser).

Cette lettre sera, bien entendu *manuscrite.*

Mode de présentation et composantes d'une lettre d'"affaires"

La lettre de réclamation :

• *L'en-tête* (1) : dans la marge, en haut à gauche (ou au milieu) si vous possédez un papier à lettre avec en-tête imprimé. A défaut, vous placerez vos coordonnées hors marge, tout en haut à gauche (1 bis).

• *Les références du destinataire* (2) : plus bas au-dessous de l'en-tête si celui-ci est placé au milieu ; plus couramment plus bas à droite, bien au-dessous de la date ; ou à gauche, entre l'en-tête et la formule d'appel (2 bis/2 ter).

• *Le lieu et la date* (3) : à ne pas oublier, en haut à droite (3 bis).

• *Références* (4) (numéro à préciser s'il y a lieu), *objet de la lettre* à présenter brièvement et clairement, *pièces jointes, annexes* : à droite, au-dessus de la formule d'appel.

• *Formule d'appel.* (5)

• *Corps de la lettre :* (6)
Essayer de respecter la règle essentielle : l'expression d'une idée par paragraphe.

a) Nature de la lettre : réclamation.

b) Précision du problème.

c) Nature de l'exigence : réparation (dédommagement, remplacement, excuses, etc.).

d) Éventuellement :

— *demande* de précautions supplémentaires pour l'avenir (semonce),

— *demande* du bénéfice de conditions avantageuses (remise), compte tenu du préjudice subi,

— menaces de poursuites par voie de droit en cas de litige aggravé, si vous n'obteniez pas satisfaction (en dernier recours).

• *Formule de politesse.* (7)

• *Signature manuscrite* (8) sous la mention dactylographiée de votre nom.

> Cette lettre sera, bien entendu, *dactylographiée.*

La correspondance d'"affaires" comprend dans ce Guide *les lettres adressées par des particuliers à d'autres particuliers ou à des organismes :* nous y trouverons donc regroupées des lettres envoyées à des artisans, des entreprises, des organismes administratifs, commerciaux, juridiques, officiels, professionnels, etc.

Toutefois ce *Guide,* qui s'adresse à des particuliers, ne saurait en rien se substituer à un cours de correspondance commerciale destiné à des professionnels : il se contente de donner quelques directives de présentation et de rédaction, avec études de cas, exemples de lettres-types et formules adaptées, *dans le cadre de la lettre impersonnelle écrite à titre privé.* Bien qu'elles soient adressées à des administrations ou à des entreprises, ces lettres conçues, présentées et rédigées par des particuliers ne sont pas censées respecter des règles normalisées aussi rigides que celles qui sont réalisées par des secrétaires professionnelles.

C'est pourquoi, dans un souci de simplification et de clarté, nous vous présentons des types de présentation et de cadrage plus variés et plus souples qui respectent les lignes générales en vigueur pour cette catégorie de lettres.

> Ces lettres seront bien sûr, dans la mesure du possible toutes dactylographiées.

> Précautions générales :
> • Faire des doubles.
> • Conserver des documents postaux, bancaires ou autres.
> • Préciser dates et références.
> • Respecter les formules en usage (choix des formules adaptées aux cas de figures).

Mode de présentation et composantes d'une carte

Carte de visite (bristol), carton d'invitation, faire-part, note (de service), carte postale, etc.:

Quel qu'en soit le format, la carte se prête à des usages multiples et remplace avantageusement une lettre dans de nombreux cas de figures. Elle permet de *s'annoncer* à la personne chez qui on se présente, de *donner ses coordonnées* à une nouvelle connaissance ou d'*indiquer un changement d'adresse*, de demander ou d'accepter un rendez-vous.

Elle *accompagne* un cadeau, un envoi de fleurs ou… une demande d'honoraires, un règlement par chèque. Elle est le meilleur moyen d'envoyer des *vœux*, des *souhaits*, des *félicitations*, des *remerciements*, de lancer des *invitations*, d'*annoncer un baptême*, une *naissance*, une *première communion*, des *fiançailles*, un *mariage*, un *décès…* ou d'exprimer des *condoléances*.

> M. et Mme Paul DELAMARE
> 15, av. Beauséjour
> 75… PARIS
>
> *Seraient très heureux si vous assistiez au cocktail qu'ils donnent en l'honneur de leurs vingt-cinq ans de mariage.*
>
> *Samedi 23 septembre à partir de 17 heures.*

• La carte permet *d'exprimer directement* et *avec concision l'objet du message* : c'est ce qui fait son principal intérêt et rend son utilisation si facile. En cela, elle se rapproche de la note de service :

"Merci de bien vouloir…
… Sincères salutations."

• La carte sera bien sûr *manuscrite* : vous la rédigerez en principe à la *troisième personne* et vous ferez *l'économie de la formule d'appel et de la signature.* Ceci étant pour les cartes mondaines ou officielles. Pour ce qui est du cadre privé, libre à vous d'en user à votre guise.

• *Titres, grades, qualités* ou *fonctions* peuvent apparaître dans l'en-tête : sous les noms et prénoms (ex. : avocat), ou assimilés à ces derniers : Le Professeur et Madame Eric Lecoq ; Le Docteur et… ; Comte et Comtesse de …

Demande de rendez-vous et réponse pour fixer le jour et l'heure du rendez-vous.

R. de Charlus
Avoué
ETUDE GIROUX

Serait heureux de vous rencontrer un prochain jour. Il
vous remercie d'avance de bien vouloir lui fixer un rendez-vous,
et vous assure de ses sentiments dévoués.

Tél. ...   18, rue G.-Bizet - 06 NICE

Pierre BELTRAN
Entrepreneur SMORC
Tél. ...

Aura le plaisir de vous recevoir le vendredi 25 mars à 14
heures, et vous assure de ses sentiments distingués.

25, rue F.-Nietzshe   06... NICE

La carte sera bien sûr *toujours manuscrite.*

Autre exemple : "Monsieur R... vous fait part du transfert de son cabinet..."

Le télégramme

La règle est de supprimer tous les mots inutiles. On peut toutefois essayer de ne pas être trop sec :

Demain lundi onze heures serai Saint-Rémy gare. Viens m'embrasser.

Alphonse Daudet.

Il faut l'exquise délicatesse de Marcel Proust pour écrire, au lieu de : "Pas certain pouvoir venir samedi" :

Madame, venir samedi est pour moi une joie mais pas une certitude, ma santé si détestable en ce moment me prive souvent à la dernière heure des plaisirs les plus désirés. Je compte bien venir. N'osant me citer moi-même, je cite Aubigné et Verlaine :

Une rose d'automne est plus qu'une autre exquise.

Ah ! quand refleuriront les roses de septembre !

Respectueusement.

Télégramme à Mme Scheikevitch, Paris, 1917.

Les principales fautes en matière épistolaire

Sachant bien que les qualités d'écriture d'une lettre relèvent d'un travail régulier d'entraînement à l'exercice de la langue, et correspondent le plus souvent aux qualités humaines de leur auteur, nous nous sommes attachés dans ce guide à dégager et à illustrer les principales règles épistolaires et dans cette partie, les maladresses les plus courantes des personnes qui n'ont pas l'habitude d'écrire.

• *Commencer* une lettre et la *terminer* sont, pour beaucoup, les deux difficultés que présente la rédaction d'une lettre. C'est une des raisons pour lesquelles on laisse passer tellement de temps avant de prendre la plume pour répondre. C'est pourtant le contraire qu'il faut faire : répondez aussitôt, lorsque les mots de votre correspondant sont encore présents dans votre esprit. Quelques formules vous seront proposées pour vous aider à trouver l'inspiration.

Tout vous sera plus facile si vous répondez sans délai : si la lettre est brève ou rédigée à la hâte, vous expliquerez à votre correspondant que vous n'avez pas voulu le faire attendre. Il sera touché de votre spontanéité et plus enclin à l'indulgence si vous avez commis des maladresses.Tandis que si vous attendez trop longtemps, vous aurez de plus des explications à donner pour que l'on veuille bien excuser votre retard. *Ne différez pas trop longtemps votre réponse* ; et, surtout, RÉPONDEZ ! "Toute lettre mérite réponse", ne vous montrez pas grossier.

Des remerciements, des excuses, l'acceptation ou le refus d'une invitation, les félicitations s'envoient dans les vingt-quatre heures !

Ne terminez pas votre lettre par des formules d'écolier cousues de fil blanc telles : "Je n'ai plus d'encre" ou "Je te laisse parce que maman m'appelle", etc.

Ne pas commencer par la formule : "Suite à votre lettre du…" ; réservez-la pour répondre à une annonce : "Suite à votre annonce du… dans le journal…"

Ne pas écrire : "Dans l'attente de votre réponse (ou "en attendant votre réponse"), veuillez agréer…", ce qui fait intervenir deux sujets dans la phrase, mais : "*Dans l'attente* de votre réponse, *je* vous prie d'agréer, Monsieur, l'expression de…".

• Ne pas écrire : "Veuillez croire en mes meilleurs sentiments."
Écrivez : "Croyez à *l'assurance* (ou à *l'expression*) de mes meilleurs sentiments (ou *à mes remerciements*)."

• N'oubliez pas d'adresser dans la formule de politesse finale "*l'expression de*" vos salutations, sentiments, remerciements, hommages, etc. : vous n'envoyez ni vos salutations ni vos sentiments mais leur expression.

D'une manière générale, évitez d'écrire des lettres trop longues qui risquent de lasser le destinataire : proscrivez le bavardage et les détails superflus, interdisez-vous toute médisance et mise en cause d'un tiers, épargnez à votre correspondant les confidences et les récits qui n'en finissent pas (les digressions, les parenthèses, les redites, etc.), les pluies de reproches, les plaintes et les jérémiades de toutes eaux : "Tout ce qui est excessif est sans portée", Talleyrand; apprenez plutôt à bien cadrer l'objet du message après avoir réfléchi froidement à la nature de votre attente.

L'utilisation de la première personne ("je") est généralement considérée comme la faute la plus courante. Il est en effet recommandé de chercher à l'éviter lorsque vous écrivez dans le glacé des convenances sociales à des personnes particulièrement pointilleuses ; aussi vous proposons-nous des suggestions pour l'éluder. Cf. le début d'une lettre,voir page 24.

Pour ce qui est des lettres "d'affaires", vous remarquerez qu'elles commencent souvent par la première personne : "J'ai l'honneur de…"

Et dans le cadre familier, n'est-il pas démodé de chercher à l'éluder ? Il vient si naturellement, et on le trouve sous les plumes illustres, telles celle de Stendhal écrivant à sa sœur : "Je ne conçois rien à ton silence, ma chère Pauline."

Lorsque vous écrivez à des proches, libérez-vous des contraintes rigides qui réglementent les usages socio-professionnels et ne vous torturez pas l'esprit pour chercher des variantes. Écrivez-le naturellement, s'il se jette sous votre plume, votre lettre gagnera en spontanéité et en vivacité. Mieux vaut, dans le cadre privé, faire des entorses aux règles, que d'écrire de façon ampoulée et pédante. Ne soyez pas raide, on ne vous le pardonnerait pas : vous vous ridiculiseriez aux yeux de vos proches, ou blesseriez celui (ou celle) qui aura cru percevoir dans le produit d'une recherche stylistique laborieuse et maladroite une marque d'éloignement, voire de hauteur. N'oubliez pas qu'en matière de langage, et tout particulièrement d'écriture et de correspondance, les sensibilités et les susceptibilités sont en éveil : "Tout est signe, et tout signe est message", M. Proust. Le personnage de *la Grimace* d'Heinrich Böll qualifie de "démodée" la recherche qui pousse son frère à éluder le "Je" au commencement de sa lettre et à écrire : "Cette lettre pour t'informer que…" au lieu de "Je t'écris pour t'informer que…", jugeant sans ménagement l'homme à travers le style :

"A cet égard — le style épistolaire — mon père et Léo sont aussi dépourvus de ressources l'un que l'autre : ils traitent de tous les sujets comme s'il s'agissait de lignite" (Heinrich Böll, *la Grimace*).

Le manquements aux règles de l'usage sont moins graves que les défauts du cœur, aussi ne vous faites pas un monde de vos difficultés d'expression et de votre inexpérience en matière épistolaire : écrivez ! L'ignorance des règles de l'orthographe de l'illustre Rodin ne l'a pas retenu d'écrire de touchantes lettres d'amour à Rose, la compagne de sa vie. Ces lettres son même passées à la postérité et furent publiées, avec leurs fautes ! A chacun son métier, admirons la façon dont le sculpteur excusait ses fautes : "Après tout, les fautes d'orthographe, c'est comme les fautes de dessin que font les autres." Superbe leçon d'orgueilleuse simplicité ! Dans le même esprit, Molière défendra, à travers le personnage de Chrysale, les talents culinaires de la servante Martine — "Je vis de bonne soupe et non de beau langage" — contre les prétentions de sa sœur Bélise qui lui reproche ses fautes de français : "Et vous en faites, vous d'étranges en conduite." Laissons à Martine, ignorante des règles de la grammaire — "Qui parle d'offenser grand-mère ni grand-père ?" — mais experte dans son domaine et bien plus sage que ses détractrices, le mot de la fin : "Quand on se fait entendre, on parle toujours bien."

B. COMPOSANTES DE LA LETTRE

L'en-tête

Dans le cadre de la correspondance privée, l'en-tête imprimé n'est vraiment pas indispensable. Si votre correspondant n'est pas un intime, rappelez-lui manuscritement vos coordonnées dans la marge (en haut, à gauche). Dans le cas contraire, vous pouvez mettre à la place une "pensée" — qu'il s'agisse de la symbolique fleur séchée ou d'une citation en exergue —, un dessin, une photographie (voire une mèche de cheveux, une goutte de parfum ou l'empreinte de vos lèvres). A vous d'adapter cette touche personnalisée à la personne et à la situation..

Édifiantes, philosophiques, piquantes, provocantes, amusantes, ambiguës ou passionnées, choisissez les citations que vous placerez en exergue, à l'en-tête de votre lettre : mieux qu'un long discours, elles sauront donner le ton de votre lettre.

Nous vous en proposons quelques-unes :
— *Aimer, c'est agir,* V. Hugo.
— *Carpe diem* (cueille le jour), Horace.
— *Deviens ce que tu es,* Nietzsche.
— *Connais-toi toi-même,* Socrate.
— *Ni rire ni pleurer, mais comprendre,* Spinoza.
— *Il vaut mieux "changer ses désirs que l'ordre du monde",* Descartes.
— *Tout ce qui est excessif est sans portée,* Talleyrand.
— *Le cœur a ses raisons que la raison ne connaît pas,* Pascal.
— *Omnia vincit amor* (L'amour triomphe de tout), Virgile.
— *Il est plus aisé d'être sage pour les autres que de l'être pour soi-même,* La Rochefoucault.
— *Nos vertus ne sont le plus souvent que des vices déguisés,* La Rochefoucault.
— *Il faut faire et non pas dire et les effets décident mieux que les paroles,* Molière.
— *Des conseils, seule en donne la solitude,* Mallarmé.
— *Je ne sais ni tromper, ni feindre, ni mentir,* N. Boileau.
— *Mehr Licht !* (Plus de lumière !), Goethe.
— *Le mensonge est la seule et facile ressource de la faiblesse,* Stendhal.
— *Honnest Iago* (mots ironiques appliqués à un scélérat), Shakespeare.
— *En toute chose il faut considérer la fin,* La Fontaine.
— *Ne jugez point afin que vous ne soyez point jugés,* saint Matthieu.
— *Medice, cura te ipse (Médecin, soigne-toi toi-même).*
— *Dura lex, sed lex* (La loi est dure mais c'est la loi).
— *Aequo animo* (D'un âme égale ; avec constance face à l'adversité).
— *Qui bene amat, bene castigat* (Qui aime bien, châtie bien).
— *Ostinato rigore* (Avec une rigueur obstinée, devise de Léonard de Vinci).
— *Labor omnia vincit improbus* (Un travail opiniâtre vient à bout de tout), Virgile.
— *Perfection c'est travail,* P. Valéry.
— *Festina lente* (Hâte-toi lentement), Auguste.
— *Age quod agis* (sois attentif à ce que tu fais).
— *Le temps ne respecte rien de ce qui se fait sans lui.*
— *Bis dat, qui cito dat* (Celui qui oblige promptement oblige doublement).
— *Patience et longueur de temps font plus que force ni que rage,* La Fontaine.
— *Sustine et abstine* (Supporte et abstiens-toi).
— *In medio stat virtus* (La vertu est au milieu).
— *Minima de malis* (Entre plusieurs maux, choisis le moindre).
— *Est modus in rebus* (Il y a une mesure en toutes choses), Horace.
— *Uti, non abuti* (User, ne pas abuser).
— *Non decet* (Cela ne convient pas).
— *Fiat voluntas tuas* (Fais ce que tu veux).
— *Alea jacta est* (Le sort en est jeté), J. César.
— *Intelligenti pauca* (A qui sait comprendre peu de mots suffisent).
— *Aurea mediocritas* (Une médiocrité bienheureuse, mépris), Horace.
— *Primum vivere, deinde philosophari* (Vivre d'abord, philosopher après).
— *Res, non verba* (Des réalités, non des mots).
— *Fluctuat nec mergitur* (Il est battu par les flots mais ne sombre pas, devise de

la Ville de Paris).
— *Sursum corda* (Hauts les cœurs).
— *Ita deis placuit* (Ainsi il a plu aux dieux).
— *Ita est* (Il en est ainsi).
— *O jeune ambitieux, sache le bien, toute grandeur humaine n'est que maladie,*
H. Melville.
— *Le bonheur se trouve rarement en soi, jamais ailleurs,* N. Chamfort.

Évitez toutefois l'emploi de formules excessives ou trop communes telles :
— *Mieux vaut tard que jamais.*
— *Pas de nouvelles, bonnes nouvelles.*
— *Aujourd'hui plus qu'hier et bien moins que demain,* R. Gérard.
— *A l'étoile de ma vie* ou *Ad vitam aeternam* (Pour toujours).

• L'en-tête est indispensable dans le cadre de la correspondance "d'affaires",
imprimé sur lettre ou sur carte.
Vos coordonnées (ou celles de l'entreprise que vous représentez) ainsi que vos
grades, titres, qualités, fonctions, etc. (s'il y a lieu) seront placés dans la marge, en
haut à gauche (ou au milieu). En voici quelques exemples :

ENTREPRISE MOUSTIER

MM. BLANCHET, Père et Fils

16, allée des Oliviers
83… FAÏENCE
Tél. …

Monsieur Benjamin RICHER
Villa "Les Oliviers
06… VENCE
Tél. …

————

Professeur

CENTRES CULTURELS DE FRATERNITÉ UNIVERSELLE
Arts - Sciences - Philosophie
Inscrits à l'U.N.E.S.C.O.

————

Mme Raphaëlle DIEUDONNÉ
Fondatrice-Directrice
18, rue de la Paix - NICE (A.-M) - France

ENTREPRISE BERNARDI

————

178, avenue Foch
35… RENNES
Tél. …

————

LE DIRECTEUR

Le lieu et la date

• *La mention du lieu* renseigne le destinataire sur la situation dans laquelle se trouve l'auteur de la lettre : est-il chez lui ou en déplacement, près ou loin de son destinataire ?

Marseille, le 2 août 19.. ("le 2 août" peut suffire s'il s'agit d'une lettre adressée à un proche qui sait parfaitement d'où vous écrivez).

— Attention, n'abusez pas des majuscules : n'en mettez pas au mois, mais ne les oubliez pas pour la ville.

Marseille, le 2-8-19.., est tout à fait acceptable, ces précisions chiffrées se retrouvent plus couramment dans le cadre des lettres où l'on se soucie plus de l'objet du message que de sa présentation, que ces dernières soient adressées à des correspondants familiers ou anonymes.

— N'oubliez pas la virgule après la mention de la ville.

• *La mention de la date* fournit une information qui peut être indispensable dans bien des cas : si la lettre comporte une demande urgente, ou propose un rendez-vous, si le destinataire doit recevoir la lettre après un long délai dû à son absence ou à la distance…

— Méfiez-vous, des malentendus peuvent se produire par suite d'un *manque de précision,* ainsi : "On vous attend à la maison pour dîner mardi soir…" La personne recevant la lettre ce fameux mardi soir et ne pouvant vous joindre par téléphone, ne pensera jamais que c'est pour le jour même. Elle prendra ses dispositions pour le mardi suivant… Et vous aurez attendu en vain. C'est une histoire vraie !

Mais ces mentions peuvent aussi faire l'objet d'*une rédaction personnalisée,* plus ou moins précise, fantaisiste ou dramatique, qui donnera le ton à la lettre. Ceci, bien sûr, dans le cadre de la correspondance privée.

— Tout l'art est de se rapprocher du destinataire en se jouant des distances : l'espace et le temps sont abolis, il (ou elle) est en communication "directe" avec vous, le temps d'une lecture…

Par exemple, vous mentionnerez non pas le nom de la ville, mais celui de la rue si votre destinataire la connaît bien, vous préciserez l'heure à laquelle vous écrivez, surtout si c'est une heure inhabituelle. Dans les deux cas, vous introduisez votre correspondant dans votre intimité.

Un voyageur précisant : *"TGV Paris-Marseille n°25, voiture 19, place n°23, ce jeudi 8 mars"*, invitera son correspondant à partager ses impressions de voyage.

Une personne alitée commençant sa lettre par : "De mon lit de souffrance, ce mardi", apprendra avec humour à son destinataire qu'elle est malade.

Un ami indiquant :"De mon lit, onze heures du matin, ce dimanche", réservant le moment privilégié de la grasse matinée pour écrire, marquera ainsi qu'il ne craint pas d'introduire son correspondant dans son intimité.

Vous pouvez également vous amuser à illustrer ces mentions en dessinant, par exemple, deux doigts pour figurer le jour du mois.

Un amoureux datant sa lettre ainsi : "Deux heures du matin", témoignera à sa fiancée qu'elle est présente à tout instant dans ses pensées.

Pensez que ces précisions vous permettront de personnaliser votre lettre : fantaisistes, elles amuseront votre destinataire ; utiles, elles le renseigneront sur votre état physique ou moral.

La formule d'appel

Elle varie selon la nature des relations qui unissent l'auteur de la lettre au destinataire, ce qu'il a à lui dire et les usages de la classe sociale à laquelle appartiennent les correspondants. C'est elle qui donne le ton à la lettre et détermine la formule de courtoisie finale.

* Dans le cadre de la correspondance privée : s'il s'agit :
— *d'un inconnu :* Monsieur (Madame, Monsieur,)
— *d'un collègue :* Mon cher Dupont,
— *d'une relation :* Cher Monsieur,
— *d'un ami intime :* Cher ami,
— *d'un personnage célèbre :* Cher Pierre Dupont,
— *d'un ami à qui vous avez des reproches à faire :* Pierre,
— *d'un camarade de classe :* Cher Pierrot,
— *d'un enfant :* Mon petit Pierre,
— *d'un ami auquel il est arrivé un malheur :* Mon pauvre Pierre,
— *de votre fiancé(e) :* Mon chéri (Ma…).

* Dans le cadre de la correspondance "d'affaires" : s'il s'agit :
— *d'un correspondant anonyme :* Monsieur (Madame,)
— *d'un groupe (entreprise) :* Monsieur (Madame,)
                       Messieurs (Messieurs et chers collègues,)
— *d'un couple :* Madame, Monsieur, *ou* Monsieur et Madame,
— *d'un confrère :* Mon cher Confrère,
— *d'une personne que vous connaissez bien :* Cher Monsieur,
— *d'un responsable de service :* Monsieur le Responsable du Service des Ventes (par exemple),
— *d'un directeur :* Monsieur le Directeur, Madame la Directrice,
— *d'un médecin :* Docteur (Monsieur, *ou* Madame,)
— *d'un chirurgien :* Monsieur le Professeur,
— *d'un notaire ou d'un avocat :* Maître,
— *d'un général :* Mon Général (Général ou Monsieur, si c'est une dame qui écrit), et ainsi pour les autres grades de l'armée,
— *d'un homme politique (ou d'une femme) :* Monsieur le Maire (le Député, le Sénateur, le Ministre, le Premier Ministre, le Président de la République), Madame le… *(idem),*
— *d'un comte, d'un duc :* Monsieur le Comte (Madame la…) ; Monsieur le Duc (Madame la…),
— *d'un ambassadeur :* Excellence,
— *d'un évêque :* Monseigneur,
— *d'un cardinal :* Éminence,
— *d'un roi :* Sire (Votre Majesté,)
— *du Pape :* Votre Sainteté.

Rappels de présentation :
— Elle est généralement décalée par rapport à la marge, donnant ainsi la mesure de l'alinéa, et toujours suivie d'une virgule.
— Elle doit obligatoirement, pour ce qui est des lettres "d'affaires", figurer à

nouveau, entre virgules, dans la formule de politesse finale.

— C'est elle qui donne le ton à la lettre et détermine, dans une large mesure, la formule de courtoisie finale, ne l'oubliez pas. Ainsi par exemple :

Monsieur,

....

Recevez, Monsieur, l'expression de mes meilleures salutations.

— Le rappel de la formule d'appel dans la formule de politesse finale n'est indispensable que pour les lettres "d'affaires". Il n'est pas nécessaire pour ce qui est des lettres de caractère intime et les simples cartes.

• La formule d'appel peut, elle aussi, faire l'objet d'une rédaction personnalisée dans le cadre de la correspondance privée :

— *Cher Pierre, :* courant,
— *Cher (Mon cher, Ma chère),*
— *Bien cher Pierre (Bien chère Anne,)*
— *Ma charmante amie,*
— *Très chers Papa et Maman,*
— *Mon cher enfant,*
— *Ma petite molécule (Mon gentil colibacille),* écriront deux fiancés étudiants en médecine.

• Insertion de la formule d'appel dans le corps de la lettre : la formule d'appel peut aussi figurer dans la première phrase de la lettre, entre deux virgules :

— *Bravo, mon cher Pierre, voilà un beau succès !*
— *Je vous écris ce soir, ma très chère, parce que...* (Madame de Sévigné).
— *Réponds-moi donc vite, ma chère Pauline, ou je te crois en prison, au secret ou morte... ; Je ne conçois rien à ton silence, ma chère Pauline... ; Hé bien, petite bringue...* (Stendhal à sa sœur).
— *Félix, ami trop aimé, je dois maintenant vous ouvrir mon cœur...* (Balzac, *Le Lys dans la vallée*).
— *Me voici de nouveau, Madame, dans ce joli Smolensk, qui, cette fois... ; Tu as beau dire, mon cher ami, je puis affirmer...* (*Lettres* de Stendhal).

Le début d'une lettre

Commencer est, pour beaucoup, la principale difficulté que présente la rédaction d'une lettre. En effet, il n'est pas facile de se lancer pour poser les premiers mots "sur le vide papier que la blancheur défend" (S. Mallarmé). C'est une des raisons pour lesquelles on laisse passer tellement de temps avant de prendre la plume pour répondre. C'est pourtant le contraire qu'il faut faire : répondez aussitôt, lorsque les mots de votre correspondant résonnent encore à vos oreilles et vous sont présents à l'esprit.

Méthode : c'est par la rédaction du (ou des) paragraphe central qui représente le "corps" de la lettre (ou développement) et exprime directement son objet, qu'il conviendra de commencer le travail de composition : au brouillon, bien sûr !

"Ce qui se conçoit bien s'énonce clairement,
Et les mots pour le dire arrivent aisément."

N. BOILEAU.

Apprenez à bien cadrer l'objet de la lettre : *vous exprimez* (des sentiments aux cours de la confidence de vos états d'âme ou d'un récit), *vous répondez* (vous donnez des nouvelles, vous refusez ou vous présentez des excuses), *vous demandez* (ou vous réclamez). Ensuite les formules d'introduction ("le début" de la lettre) et de conclusion viendront plus facilement sous votre plume. *Vous chercherez ensuite la formule d'introduction adaptée au type de lettre que vous avez l'intention d'adresser.* Peut-être les formules de débuts de lettres présentées ci-après vous aideront-elles à trouver l'inspiration ?

— La spontanéité n'est pas proscrite, bien au contraire ! ainsi qu'en témoignent les débuts de lettres de Stendhal présentés comme des exemples de vivacité : cet épistolier émérite a, en effet, l'art de personnaliser ses lettres en entrant aussitôt dans le vif du sujet.

— Il est toutefois préférable, pour ce qui est des lettres graves et des lettres "d'affaires", d'éviter de commencer trop abruptement. Surtout si le message n'est pas destiné à faire plaisir au destinataire : "Adieu, Jean, je te quitte…" ou "J'ai le regret de…".

— N'oubliez pas que le ton de la lettre et la formule de politesse finale seront déterminés par les formules d'appel et de début de lettre.

— En principe, vous êtes tenu de respecter l'alinéa dont la formule d'appel a dû déjà donner la mesure (encore que ces retraits ne soient pas obligatoires pour les lettres dactylographiées).

Voici donc quelques formules de débuts de lettres pour vous aider à trouver l'inspiration :

• Dans le cadre de la correspondance privée :

1. Vous demandez des nouvelles :
— *Il y a bien longtemps que nous n'avons eu de tes nouvelles...*
— *Me boudez-vous ? ou bien êtes-vous malade ?...*
— *Christine, pourquoi ce silence ?...*
— *Les conseils que je vous avais donnés ne méritaient pas un si long silence...*

2. Vous donnez des nouvelles :
— *Vous savez que...?*
— *Connais-tu la dernière ?*
— *Vous n'êtes pas sans savoir que...*
— *Permettez-moi de vous informer que...*
— *Je vous écris ces quelques lignes pendant que Jean est occupé à...*
— *Hélas, le temps a glissé — de travaux en travaux — et je n'ai pu vous faire signe avant aujourd'hui. Pardonnez-moi.*

3. Vous répondez :
— *C'est avec plaisir que j'ai reçu ta lettre. Comme tu l'écris...*
— *Oui, Jean a bien reçu... et nous vous en remercions...*
— *Figure-toi que...*
— *Comme promis à mon départ, voici un raccourci de...*
— *Tu vois, je tiens parole. Bien que mes nouvelles responsabilités de... dévorent les trois quarts de mon temps, il m'en restera toujours pour toi...*
— *Je te renvoie le livre que tu me demandes...*
— *Vous avez bien fait de faire appel à moi...*

4. Vous remerciez :

— *Merci de ta longue lettre pleine de nouvelles de ceux que nous aimons tant. Bien heureux de te savoir en bonne forme et au repos...*

— *Votre lettre m'a beaucoup touché...*

— *La promptitude de ta réponse m'a permis de..., et je t'en remercie...*

— *Ces quelques lignes pour vous remercier...*

— *Je n'ai jamais douté, mon cher, ni de l'amitié que vous avez pour moi, ni de l'intérêt que vous prenez à tout ce qui me regarde...*

5. Vous exprimez des sentiments :

— *Ce n'est pas sans un peu de tristesse que...*

— *Pour la première fois, et depuis trois jours déjà, tu ne dors pas sous notre toit...*

— *C'est avec un vif pincement au cœur que j'ai appris tes échecs. J'imagine bien ton chagrin.*

— *Bravo, mon cher Jean, voilà un beau succès !...*

— *Tu as dix-huit ans aujourd'hui et...*

— *Vous avez été merveilleux hier soir !...*

— *Vous ne pouvez savoir à quel point...*

— *Je suis un peu embarrassé d'être obligé de t'écrire au nom de notre amitié pour...*

— *Vous devriez, Monsieur, prévenir votre fils qu'...*

— *Dites donc, Clara,...*

— *Veuillez excuser la liberté que je prends de...*

6. Vous présentez des excuses :

— *Je suis vraiment désolée...*

— *Pardonnez ma maladresse...*

— *J'ai été..., je comprends très bien que tu m'en veuilles, je regrette de m'être si mal conduit, pourras-tu jamais me pardonner ?*

— *J'ai été..., je vous prie de m'excuser (je vous fais toutes mes excuses). Je regrette notre dispute d'hier. Je suis prêt à vous présenter mes excuses, mais n'avez-vous pas vos torts aussi ?*

7. Vous racontez :

— *Me voici de nouveau dans cette jolie ville de...*

— *Zoé m'étonnera toujours...*

— *Depuis trois jours le soleil ne se montre plus et...*

— *Dans le train qui nous emmène maintenant vers Paris...*

— *Aujourd'hui, à Paris, nous avons visité...*

— *J'aime cette ville, comme on... !*

— *Nous voici dans le Midi, à Cannes, chez les...*

— *Ah ! quelle journée !...*

— *Quelle peur nous avons eue hier ! Voilà que pendant le trajet qui nous conduisait à... Heureusement, j'avais sur moi l'adresse...*

— *Pauvre Aline ! Elle a encore fait des siennes, et la voilà au lit avec 38° de fièvre !*

— *A cause d'Aline, nous sommes restés plus longtemps en Bretagne et nous ne pourrons pas visiter la vallée de la Loire et ses châteaux. Notre voyage se termine et nous devons rentrer en passant par la Normandie...*

• Dans le cadre de la correspondance personnalisée :

Nous vous présentons à présent, pour vous aider mieux encore que ces quelques poncifs à trouver l'inspiration, quelques débuts de lettres de Stendhal qui sont exemplaires par leur art d'entrer dans le vif du sujet et de répondre aussi naturellement que s'il s'agissait de renouer le fil d'une conversation interrompue, qu'il s'agisse de demander des nouvelles à sa sœur, de la sermonner gentiment, de l'encourager à écrire, de raconter un voyage ou d'écrire une lettre d'amour. Ces lettres n'ont pas pris une ride !

— Hé bien, petite bringue, tu mériterais bien que je renouvelasse pour toi ce terme élégant et antique.

Peut-on être plus molle que toi : depuis quatre mois, tu ne m'écris pas un mot. Je n'apprends des nouvelles de Grenoble que par les papiers publics.

Donne moi des nouvelles de famille que je ne puis trouver dans les papiers publics.

— Je ne conçois rien à ton silence, ma chère Pauline. Quelles sont les occupations qui peuvent t'empêcher de m'écrire ?...

— Je ne m'accoutume point à ne pas avoir de tes lettres.

— Réponds-moi donc vite, ma chère Pauline, ou je te crois en prison, au secret ou morte. Pourquoi, dans ta tristesse, ne m'écris-tu pas ?

— Ta lettre m'effraye au-delà de toute expression. Tu vas faire une folie. Songe que d'aller à...

— Ta lettre est charmante pour moi, ma chère Pauline et pour tout autre elle serait sublime. Ce qui me charme surtout, c'est cette peinture naturelle et profonde d'un...

— Ta charmante lettre est pour moi comme un vase rempli de l'eau la plus fraîche qui s'offre tout à coup au voyageur qui traverse péniblement les sables d'Afrique.

— Tu as beau dire, mon cher ami, je puis affirmer que je n'ai aucun scrupule à...

— Me voici de nouveau, Madame, dans ce joli Smolensk, qui, cette fois, est un peu gâté par la neige. Je viens de faire un voyage sentimental de Moscou ici ; je vous demande permission de vous en rendre compte.

— Il semble que nous soyons absolument étrangers l'un à l'autre, depuis que je suis exilé dans ce triste pays, et vous êtes devenue si étrangère aux sentiments d'un cœur dont vous faites tous les sentiments que vous craignez de m'ennuyer en me disant vos chagrins.

—Ah ! que le temps me semble pesant depuis que vous êtes partie ! Et il n'y a que cinq heures et demie ! Que vais-je faire de ces quarante mortelles journées ? Dois-je...

— Vous me mettez au désespoir. Vous m'accusez à plusieurs reprises de manquer de délicatesse, comme si, dans votre bouche, cette accusation n'était rien.

• Dans le cadre de la correspondance "d'affaires" :

Voici quelques formules pour débuter une lettre qui vous aideront peut-être à trouver l'inspiration. Il vous appartient de choisir celle qui conviendra le mieux à la situation et au contexte.

1. Vous informez :

— J'ai l'honneur de vous informer que...
— J'ai l'honneur de vous faire connaître que...

— *J'ai le plaisir de vous faire connaître que...*
— *J'ai l'honneur de porter à votre connaissance les faits suivants :...*
— *J'ai l'honneur de vous faire savoir que...*
— *J'ai l'honneur de vous signaler que...*
— *Je prends la liberté de vous informer que...*
— *J'ai l'honneur de porter à votre connaissance que...*
— *J'ai l'honneur de vous aviser que...*
— *J'ai le plaisir de vous apprendre...*
— *J'ai le regret de vous informer...*
— *Je regrette de devoir vous informer que...*
— *Je me vois dans l'obligation de vous informer...*
— *Permettez-moi de vous exprimer...*
— *Permettez-moi de vous informer que...*

• Formules plus neutres :

— *Nous nous permettons d'attirer votre attention sur...*
— *Nous tenons à vous prévenir que...*
— *En réponse à votre lettre du..., j'ai l'honneur de vous faire connaître...*
— *A la suite de notre entretien du...*
— *Comme suite à notre conversation téléphonique du..., confirmé par lettre du...*
— *Je vous expédie ce jour...*
— *Vous voudrez bien trouver ci-joint...*
— *Vous trouverez ci-joint un chèque de..., en règlement de la facture...*
— *Je vous prie de bien vouloir trouver ci-joint votre commande...*
— *Votre lettre est bien parvenue à Monsieur le Président de la République...*

Ne pas commencer par la formule "Suite à votre lettre du…" ; réservez-la pour répondre à une annonce : "Suite à votre annonce du… dans le journal…" ; ou pour confirmer ce qui a été convenu au cours d'un entretien : "A la suite de notre entretien du…", "Comme suite à notre conversation téléphonique du…".

2. Vous demandez :
— *Auriez-vous l'obligeance de...*
— *J'ai l'honneur de solliciter de vous...*
— *Je vous serais reconnaissant de bien vouloir...*
— *Je serais heureux si...*
— *J'ai l'honneur de solliciter de votre (haute) bienveillance...*
— *J'ai l'honneur de vous prier de...*
— *Je vous prie de vouloir bien...*
— *Je vous serais reconnaissant de vouloir bien...*
— *Je vous prie de (bien vouloir) m'envoyer votre facture* (lettre adressée à des artisans ou à des commerçants).
— *Je vous prie de bien vouloir m'indiquer le montant de vos honoraires* (lettre adressée à un médecin ou à un notaire).
— *Veuillez m'adresser un exemplaire de...*
— *Je rappelle à vos bons soins...*

3. Vous envoyez une lettre de réclamation :
— *Nous nous permettons de vous signaler que...*
— *J'ai le regret de vous faire savoir que (contrairement à l'habitude) je ne suis pas entièrement satisfait de...*
— *Je vous informe que, sauf erreur ou omission, à la date de la présente lettre, vous restez redevable de la somme de... pour...*
— *Vous m'aviez promis ce... pour la fin du mois. Or, nous sommes aujourd'hui le... et je me trouve fort contrarié de n'avoir toujours rien reçu...*
— *Voilà plus d'un mois que j'attends cette livraison de... dont j'ai un besoin urgent et je m'étonne de ne l'avoir encore reçue alors que je vous ai déjà adressé une lettre de rappel le...*

4. Vous répondez :
— *En réponse à votre lettre du...* (et non pas "suite à...").
— *A la réception de votre lettre...* (et non pas "au reçu de...").
— *J'ai l'honneur de vous accuser réception de...*
— *Nous vous accusons réception de (votre courrier du...).*
— *Nous avons pris bonne note de...*
— *Vous avez bien voulu attirer notre attention sur... (et après enquête), j'ai l'honneur de vous faire connaître que...*
— *Je vous remercie de m'avoir tenu informé de...*
— *Je vous remercie vivement de l'attention que vous avez eue de...*
— *Nous avons bien reçu votre courrier du... courant et nous vous en remercions. En réponse, nous nous empressons de vous remettre ci-joint...*

5. Vous refusez :
— *Je suis au regret de ne pouvoir...*
— *Nous regrettons beaucoup de vous décevoir, mais...*
— *Je regrette de devoir vous informer que...*
— *Nous avons pris bonne note de la demande exprimée dans votre lettre du... ; malheureusement...*
— *C'est avec le plus vif intérêt que nous avons examiné votre projet, mais...*
— *Nous vous remercions d'avoir bien voulu nous adresser votre... ; malheureusement...*

Évitez dans la mesure du possible de commencer la lettre de refus par le simple et brutal : "*J'ai le regret de...*"

6. Vous adressez des excuses :
— *Je vous prie de bien vouloir m'excuser...*
— *Nous sommes au regret de devoir vous informer que nous n'avons pu (effectuer la livraison de)...*
— *Je suis tout à fait désolé de n'avoir pu vous livrer votre... au jour indiqué,...*
— *A mon vif regret... Vous me voyez désolé... (navré de...).*
— *Un problème de... ne nous permet pas de... Nous vous prions de bien vouloir nous excuser de ce retard...*
— *Nous vous adressons réception de votre courrier du... dont le contenu a retenu toute notre attention. Effectivement, nous devons constater comme vous que...* (l'expression des excuses apparaîtra dans la formule de politesse finale).

— Votre lettre du... courant nous parvient ce jour. Nous vous prions de nous excuser pour l'erreur qui s'est produite (lors de la livraison)...
— On vient de me faire part de votre appel et croyez bien que votre contrariété n'a d'égale que la mienne...

Le (ou les) paragraphe central

Commencer et terminer une lettre passent pour représenter les deux principales difficultés soulevées par la rédaction d'une lettre. En fait, c'est la négligence d'une étape initiale fondamentale qui provoque cette paralysie bien connue de l'épistolier devant "le vide papier que la blancheur défend" (Mallarmé) : la rédaction du (ou des) paragraphe qui constituera le "corps" de la lettre. Après avoir cadré l'objectif de la lettre — vous exprimez librement (des sentiments, des émotions, des impressions au cours de confidences ou d'un récit), vous répondez (pour remercier, donner des nouvelles, refuser ou présenter des excuses), vous demandez (ou vous réclamez) — , il convient donc de commencer votre travail de rédaction (au brouillon, s'entend !) par le paragraphe central : si le début de la lettre présente son objet, il l'exprime, la fin de la lettre se contentant de conclure. Vous vous apercevrez qu'une fois entré dans le vif du sujet, le reste suit naturellement.

Ce travail de décomposition méthodique au brouillon vous permettra de mieux commencer et de mieux terminer vos lettres.

Vous éviterez ainsi de débuter trop abruptement : "J'ai le regret de..." ou "Adieu, Jean, je te quitte...". Ces exemples, bien sûr, ne sont que des caricatures destinées à illustrer ce principe fondamental : commencer par la fin afin de savoir ensuite comment introduire — "En toute chose il faut considérer la fin", La Fontaine.

• Principes formels : développez une seule idée par paragraphe afin que votre lettre ne se présente pas comme une masse compacte. Respectez les alinéas au début de chaque paragraphe (encore que ces retraits ne soient pas obligatoires pour les lettres dactylographiées), et sautez une ligne entre chaque paragraphe.

Voici quelques *formules de transition* qu'il vous appartiendra d'adapter au type de paragraphe traité (initial, intermédiaire ou final du développement).

—*Additives :* et, de plus, d'abord, tout d'abord (ensuite, enfin), en premier lieu, par ailleurs, surtout, en outre, outre que, d'une part (d'autre part), encore, autre aspect (positif ou négatif), etc.

— *Causales :* car, en effet, étant donné, parce que, sous prétexte que, puisque, etc.

— *Consécutives :* ainsi, donc, c'est pourquoi, par suite, de là, d'où, de telle sorte que, si bien que, etc.

— *Concessives :* malgré, sans doute, certes, bien que, quoique, quelque... que, etc.

— *D'opposition :* mais, au contraire, en revanche, tandis que, alors que, néanmoins, pourtant, toutefois, etc.

— *Conclusives :* pour conclure, en conclusion, en définitive, finalement, pour toutes ces raisons, etc.

Le début d'un nouveau paragraphe

Voici quelques formules qui vous aideront peut-être à trouver l'inspiration pour aborder dans le corps de la lettre les sujets successifs qui auront motivé sa rédaction et en arriver à l'objet principal du message :

• Dans le cadre de la correspondance privée :

— *Nous vous serions très obligés de...*
— *Nous serions très heureux si...*
— *J'ose ici exprimer un désir...*
— *J'aimerais surtout savoir...*
— *Permettez-moi d'ajouter...*
— *Profitant de l'occasion qu'il m'est donné de t'écrire...*
— *Je te dis cela non pour te faire la morale, tu le penses bien, mais pour t'engager à goûter sans arrière-pensée et sans restriction...*
— *Non, le mieux est d'être objectif, réaliste même. Et pour cela, il te faut faire un bilan.*
— *Je pourrais, pour te redonner confiance, te citer des exemples célèbres...*
— *Et maintenant, en voilà assez là-dessus...*
— *Bref, te voilà dans l'obligation de...*
— *Est-il nécessaire de préciser... ?*
— *J'ai préféré en effet...*
— *Fabrice, en effet, qui...*
— *Mais c'est assez bavardé sur un même sujet. Donne-moi des détails sur...*
— *Pour moi, je suis déjà loin de tout, dans cette campagne.*
— *Ainsi, tu le vois, je me repose consciencieusement...*
— *Je suis ainsi en convalescence...*
— *Aujourd'hui, je ne te ferai part que de mes premières impressions...*
— *Aujourd'hui il pleut, et cela sent déjà la rentrée...*

• Dans le cadre de la correspondance "d'affaires" :

— *Nous attirons votre attention sur...*
— *Vous voudrez bien en conséquence...*
— *Je vous serais reconnaissant de me faire savoir ce qui s'ensuivra...*
— *J'ose espérer que ma requête sera prise en considération.*
   Je vous serais très obligé de faire le nécessaire auprès de... afin que...
— *En effet à la réception de...*
— *Effectivement, nous avons dû constater comme vous-même...*
— *En conséquence, je vous autorise à faire valoir vos droits...*
— *Au cas où il ne s'agirait que d'une omission de votre part...*
— *Dans le cas contraire, je vous prie de nous faire parvenir sans délais...*
— *Dans ce dernier cas, devrait-elle...?*
— *Veuillez avoir l'obligeance de me confirmer votre accord sur ce point...*
— *De toute évidence, vous n'aviez pas...*
— *Très contrarié par..., je suis obligé de vous signaler que si je ne..., je me verrais dans l'obligation d'en venir à des poursuites par voie de droit.*
— *Veuillez accepter mes sincères excuses...*

La fin d'une lettre

La formule de politesse finale (ou formule conclusive, formule d'adieu, formule de courtoisie) sert à prendre congé du destinataire. Elle varie selon la nature des relations qui unissent les correspondants. Elle est déterminée, dans une large mesure, par la formule d'appel qui donne le ton à la lettre.

"In cauda venenum" (Dans la queue le venin), selon le proverbe latin ? Toute la difficulté est de trouver "la formule" qui permette de laisser le correspondant sur une bonne impression et de se situer correctement face à lui dans la hiérarchie sociale (est-il votre égal, votre supérieur ou votre inférieur ?), car c'est dans cette formule de courtoisie finale que se manifestent le plus nettement les exigences de "l'étiquette". Il vous appartient, là, plus qu'ailleurs, d'adapter prudemment la formule conventionnelle à la situation, surtout si vous écrivez à des personnes particulièrement pointilleuses sur la question.

Le français établit des distinctions très nettes entre les différentes sortes de correspondances. A l'intérieur de ce système, le but de la formule finale de politesse est de situer le signataire et le destinataire l'un par rapport à l'autre dans la hiérarchie sociale en même temps que d'indiquer le lien qui les unit : respect, dévouement ou gratitude, affection, admiration, mais aussi intérêt, autorité, mépris, etc. Méfiez-vous des apparences, les personnes qui peuvent vous paraître les plus détachées de ces questions de préséance restent sensibles aux signes qui s'y rattachent (sans même s'en rendre compte parfois, question d'éducation : "Tout est signe, et tout signe est message", Proust) ; et ce, dans le cadre de la correspondance privée comme dans celui de la correspondance "d'affaires". Les nuances qui peuvent sembler les plus anodines sont toujours très significatives dans ce domaine.

1. Formules neutres :
— *Veuillez agréer, Monsieur, l'expression de mes sentiments distingués.*
— *Croyez, Monsieur, à l'assurance de mes sentiments distingués.*
— *Croyez, Monsieur, à mes sentiments distingués.*

2. Formules adressées à un égal dans la hiérarchie sociale :
— *Veuillez agréer, Monsieur, mes meilleurs salutations.*
— *Je vous prie de croire à mes sentiments dévoués.*
— *Croyez, Monsieur, à mes meilleurs sentiments.*
— *Veuillez recevoir, Monsieur, l'assurance de ma considération distinguée.*
— *Veuillez recevoir, Monsieur, l'assurance de mes sentiments les meilleurs.*
— *Recevez, Monsieur, l'assurance de mes sentiments distingués.*

• Vous connaissez un peu mieux votre correspondant :
— *Veuillez croire à mon meilleur souvenir.*
— *Veuillez trouver ici l'assurance de mon amitié.*
— *Veuillez agréer, Monsieur, l'expression de mes sentiments les plus cordiaux.*

3. Formules adressées à un supérieur hiérarchique :
— *Veuillez agréer, Monsieur, l'expression de mes sentiments respectueux.*
— *Je vous prie d'agréer, Monsieur, mes remerciements respectueux.*
— *Veuillez agréer, Monsieur, l'expression de mon profond respect.*
— *Veuillez agréer, Monsieur, l'expression de ma gratitude et de mon entier dévouement.*
— *Recevez, Monsieur, mes salutations respectueuses.*
— *Recevez, Monsieur, mes sincères salutations.*
— *Je vous prie d'agréer, Monsieur, l'expression de mon dévouement respectueux.*
— *Veuillez agréer, Monsieur, l'expression de mes sentiments dévoués.*

4. Formules adressées à un inférieur hiérarchique :
— *Veuillez agréer, Monsieur, mes sincères salutations.*
— *Veuillez agréer, Monsieur, l'assurance de mes sentiments les meilleurs.*
— *Veuillez croire, Monsieur, à mes sentiments les meilleurs.*
— *Recevez, Monsieur, l'assurance de mes sentiments distingués.*
— *Recevez, Monsieur, l'assurance de ma considération distinguée.*

5. D'une femme à un homme :
— *Recevez, Monsieur, mes salutations (distinguées).*
—*Acceptez, Monsieur, l'expression de mes sentiments distingués.*
— *Croyez, Monsieur, à mes sentiments distingués.*

> Il est toutefois préférable qu'une femme s'abstienne d'adresser des sentiments à un homme.

6. D'un homme à une dame :
— *Je vous prie d'agréer, Madame, mes respectueux hommages.*
— *Je vous prie, Madame, de bien vouloir accepter l'hommage de mes respectueux sentiments.*
— *Veuillez agréer, Madame, l'expression de mes respectueux hommages.*
— *Daignez agréer, Madame, mes respectueux hommages.*

7. D'un homme à une jeune fille :
— *Veuillez recevoir, Mademoiselle, l'expression de mes sentiments respectueux.*

> Une femme n'envoie jamais de sentiments à un homme, elle n'exprime pas non plus son respect, à moins qu'il ne soit très âgé et très éminent, ou un membre du clergé ; auquel cas elle pourra parler de son "profond respect".
> • Expression, marque la déférence.
> • Assurance ne s'emploie pas d'inférieur à supérieur.

Et même si vous vous riez des conventions, soit que vous jouiez la provocation, soit que vous écriviez à des proches, VEILLEZ À CE QUE LA FORMULE DE POLITESSE RESTE "FORMULE DE COURTOISIE". Démentez le proverbe que les Romains appliquaient à la dernière partie d'un discours débutant sur un ton inoffensif et s'achevant par un trait blessant inattendu : "In cauda venenum" (Le venin est dans la queue).

A éviter :
— D'une part, de terminer votre lettre de façon agressive voire offensante, même si le ton de l'aimable fantaisie doit se substituer à la formule attendue.
— D'autre part, de glisser "sournoisement" à la fin de votre lettre la "demande" qui en avait motivé la rédaction : "Au fait, j'aurais besoin de… francs. Peux-tu me les prêter ?" (ou pire, de la rejeter dans le *post-scriptum* : "Peux-tu me prêter…?"). Ces petites malices d'écoliers cousues de fil blanc ne trompent personne.
Si vous rappelez à la fin de la lettre son objet, vous ne ferez que renouveler l'expression de vos remerciements "anticipés" (ou pas), de votre attente d'une réponse rapide ou de vos excuses.
N'oubliez pas d'adresser, dans la formule de politesse finale, *"l'expression de"* vos salutations, sentiments, remerciements, hommages, etc. Vous n'envoyez ni vos salutations, ni vos sentiments, mais *leur expression.*

La formule de politesse finale

(ou finale conclusive) sert à prendre congé du destinataire et varie, elle aussi, selon la nature des relations qui unissent les correspondants. Cette formule de courtoisie finale est déterminée dans une large mesure par la formule d'appel qui donne le ton à la lettre. Cette dernière doit d'ailleurs, pour ce qui est de la correspondance "d'affaires", être rappelée entre deux virgules à la fin de la lettre et ne jamais être coupée en fin de ligne (surtout s'il s'agit de "Monsieur le Directeur", ou mieux, de "Monsieur le Président-Directeur Général") : arrangez-vous pour la caser sur l'avant-dernière ligne, ou rejetez le tout sur la dernière.

Ainsi, l'expression, dans la formule d'appel, du simple sec et distant "Monsieur" (ou "Madame"), utilisé pour un destinataire anonyme, entraîne logiquement le recours aux banals "sentiments distingués" dans la formule finale, c'est-à-dire l'expression passe-partout qui ne signifie rien.

L'expression des *"sentiments distingués"* est la façon la plus neutre de terminer une lettre : c'est une formule sans signification qui ne vous engage à rien si vous l'adressez à une personne inconnue ; en revanche, elle paraîtra sèche et se révélera une marque de froideur si vous la destinez à une personne que vous connaissez un peu mieux.

Ne pas écrire : "Dans l'attente de votre réponse (ou en attendant votre réponse), veuillez agréer…", ce qui fait intervenir deux sujets dans la phrase, mais : *"Dans l'attente de votre réponse, je* vous prie d'agréer, Monsieur, l'expression de mes sentiments distingués."

Ne pas écrire : "Veuillez croire *"en"* mes meilleurs sentiments." Écrivez : "Croyez à l'*assurance* (ou à l'*expression*) de mes meilleurs sentiments (ou *à mes remerciements*)." En général, *"expression"* marque la déférence ; *"assurance"* ne s'emploie pas d'inférieur à supérieur. Voici une liste de formules conclusives qu'il convient d'adapter aux circonstances et à la nature des liens qui unissent les correspondants. Peut-être vous aidera-t-elle à trouver l'inspiration ?

• Dans le cadre de la correspondance privée :

— Embrasse Claude de ma part et garde pour toi mes meilleurs baisers.
— J'embrasse la petite Odile. A vous deux mes plus amicales pensées.
— En espérant avoir bientôt le plaisir de vous revoir, je vous adresse mon cordial souvenir.
— Je vous prie de croire, cher Monsieur, à l'expression de mes sentiments les meilleurs.
— Soyez assuré de ma fidèle amitié.
— Croyez bien, cher ami, à mon dévouement qui vous reste acquis.
— Veuillez trouver ici l'assurance de mon amitié.
— Veuillez trouver ici l'assurance de ma cordiale sympathie.
— Veuillez agréer, chers Madame et Monsieur, l'expression de mes sentiments les plus cordiaux.
— Je vous prie d'agréer, Madame, mes respectueux hommages.
— Je vous prie, Madame, de bien vouloir accepter l'hommage de mes respectueux sentiments.
— Veuillez recevoir, Mademoiselle, l'expression de mes sentiments respectueux.
— Cordialement à vous. (ou *Cordialement*).

— Sincèrement vôtre. Respectueusement vôtre.
— Bien sympathiquement vôtre.
— Bien à toi. Bien à vous. Bien vôtres.
— Tout à toi.
— A toi de tout cœur.
— Affectueusement.
— Bon baisers.
— Tendrement.
— A lundi.
— Salut, vieille branche.
— A toi, monstre (Flaubert).
— Adieu, ma chère enfant : je vous aime au-delà de tout ce qu'on peu aimer
(Mme de Sévigné).

— Vale ("Porte-toi bien", en latin).
   — De toute façon, j'attends un mot de toi, bien vite, où tu me feras part de tes pro-
jets.   *A toi de tout cœur.*

   — Excuse le ton peut-être trop didactique de cette lettre émaillée de quelques clas-
siques fleurs de rhétorique et sache lire entre les lignes mon amical désir d'atténuer
ta peine et de t'encourager dans ta revanche contre le mauvais sort.
Ton ami qui se veut plus fidèle encore dans les mauvais jours.

   — Bon, j'arrête là ma leçon de morale, bien que ta mère me souffle d'ajouter enco-
re quelques recommandations, car je veux que tu lises ma lettre jusqu'au bout pour
que tu y découvres les baisers tout chauds de tendresse de tes parents qui ne te
quittent pas en pensée.   *Ton affectionné papa.*

   — En attendant, je vous embrasse "par cœur" comme on dit à l'école, dans l'es-
poir du jour merveilleux où papa redira pour de bon : "A table, fiston" et je crie-
rai : "Oui, papa, j'arrive."
Votre fils plein de tendresse pour vous.

   — En attendant le jour où je pourrai te raconter de vive voix mille détails de ce
voyage, je t'embrasse fraternellement : et reste, à bord de notre "..." qui file sur une
mer d'huile.
Ton ami tout proche par le cœur.

   — En attendant ton entrée dans ce havre idéal où, tu le sais, je ferai tout pour venir
te rejoindre, je t'offre en ce beau jour les marques les plus chaudes de mon amitié
affectueusement fraternelle.
Ton dévoué.

— Je t'embrasse.
Adieu, des compliments à tout le monde.

• Dans le cadre de la lettre "d'affaires" :

   — Je vous prie d'agréer, chère Madame, l'assurance de ma courtoise considé-
ration.
   — Je vous prie de croire, Monsieur, à l'expression de mes sentiments les meilleurs.
   — Je vous prie d'agréer, Monsieur, l'expression de mes sentiments les meilleurs.

— Je vous prie de croire, cher Monsieur, à l'assurance de ma considération distinguée.

— Je vous prie d'agréer, Madame, Monsieur, mes salutations distinguées.

— Nous vous prions d'agréer, Messieurs, nos sincères salutations.

— Veuillez croire, Messieurs, à l'expression de nos meilleurs sentiments.

— Veuillez agréer, Monsieur, l'expression de mes sentiments les meilleurs.

— Veuillez agréer, Monsieur, l'assurance de nos sentiments les meilleurs.

On peut aussi, surtout dans la correspondance commerciale, user des formules terminales simples, à l'instar des Anglo-Saxons :

— Respectueusement vôtre.

— Cordialement vôtre.

— Sincèrement vôtre.

— Bien à vous.

— Bien vôtres.

— Dévoué à vos ordres.

— Avec mon bon souvenir et mes hommages respectueux.

•• Vous terminez une lettre de demande ou de remerciement :

— Recevez, cher Monsieur, l'expression de mes remerciements anticipés et de mes plus sincères salutations.

— Veuillez croire, Madame, à l'assurance de mes sentiments toujours dévoués.

— Espérant une réponse favorable et rapide, je vous prie d'agréer, Messieurs, mes salutations.

— En vous remerciant de votre confiance, je vous prie de croire, cher Monsieur, à l'assurance de mes sincères salutations.

— Veuillez croire, cher client, à l'assurance de ma considération distinguée.

— Nous vous remercions par avance de votre obligeance, et vous assurons de notre collaboration dévouée.

— Vous en souhaitant bonne réception, nous vous prions d'agréer, Monsieur, l'expression de nos sentiments distingués.

— Nous espérons que notre offre retiendra favorablement votre attention et vous prions de croire, Messieurs, à l'expression de nos sentiments dévoués.

•• Vous terminez une lettre de réclamation :

— Veuillez me livrer ce... dès demain, sans faute. J'y compte absolument.
Recevez, Madame, mes salutations.

— Vous voudrez bien, en conséquence, effectuer le plus rapidement possible...
Veuillez agréer, Monsieur, l'expression de mes sentiments distingués.

— J'espère encore recevoir à temps ce qui me permettra de disposer d'un objet qui me convenait parfaitement et pouvoir conserver toute ma confiance à votre maison dont je suis une cliente fidèle.
Recevez, Monsieur le Directeur du Service des Ventes, l'expression de mes distinguées salutations.

— Espérant que vous mettrez tous vos soins à nous épargner à tous les désagréments d'une procédure qui ne pourrait que nuire à... (votre firme), et dans l'optique de futures relations plus satisfaisantes, je compte sur votre diligence et vous prie d'agréer, Messieurs, l'expression de mes salutations distinguées.

•• Vous terminez une lettre d'excuses :

— *Veuillez nous excuser de cet incident.*
— *Avec tous nos regrets, je vous prie de croire, Madame, à l'expression de nos sentiments dévoués.*
— *Nous regrettons beaucoup (infiniment) de vous décevoir, et vous prions d'agréer, Monsieur, l'expression de nos respectueuses salutations.*
— *Veuillez donc m'excuser, Monsieur, et m'accorder toujours la confiance dont vous m'avez honoré jusqu'à ce jour.*
— *En vous renouvelant l'expression de nos excuses, nous vous présentons, Monsieur, nos salutations les plus distinguées.*
— *Nous vous renouvelons nos excuses et souhaitons que notre matériel vous donne toute satisfaction. Sentiments dévoués.*
— *Espérant qu'à l'avenir pareil contretemps sera évité, et vous réitérant nos excuses, nous vous présentons, Monsieur, nos salutations les plus distinguées.*
— *Vous voudrez bien nous excuser de ce contretemps indépendant de notre volonté, et dans cet espoir, je vous prie de bien vouloir accepter, Madame et Monsieur, l'assurance de mes dévouées salutations.*
— *Vous serez, j'espère, assez satisfaite de votre..., pour me pardonner ce léger retard dont je suis personnellement plus contrarié que vous-même.*
Daignez agréer, Madame, l'hommage de mes sentiments respectueux.
— *Je vous prie encore de ne pas nous tenir rigueur de ces déboires indépendants de notre volonté, et pour nous faire pardonner, je vous ai fait joindre... que nous avons le plaisir de vous offrir.*
Veuillez agréer, cher client et ami, l'assurance de mes sentiments dévoués.

C. CADRAGE DES OBJECTIFS

Le français établit des distinctions très nettes entre les différentes sortes de correspondance. A l'intérieur de ce système, le but des formules est de situer le signataire et le destinataire l'un par rapport à l'autre dans la hiérarchie sociale et, en même temps, d'indiquer le lien qui les unit : respect, dévouement ou gratitude, affection, admiration, mais aussi intérêt, autorité, mépris ou indifférence (les "sentiments distingués", par exemple, ne signifient rien du tout).

Être bien clair avec soi-même

Quelles sont vos intentions ? Quelle est votre attente (s'il y en a une) ? A qui adressez-vous votre lettre ? La sincérité envers autrui commence par la sincérité envers soi-même.

Correspondance privée ou correspondance "d'affaires"?

Tout d'abord, votre lettre s'inscrit-elle dans le cadre de la correspondance privée (familiale, amicale, mondaine) ou dans celui de la correspondance "d'affaires" (lettres envoyées par des particuliers à des administrations ou à des entreprises ; correspondance administrative, commerciale, officielle, professionnelle, etc.).

• Dans le cadre de la correspondance privée :

Nous présentons dans la section suivante de ce *Guide* quelques poncifs de lettres ou cartes conventionnelles (faire-part, invitations, vœux, remerciements, félicitations, condoléances, etc.) et quelques lettres plus expressives traitant de situations délicates (lettre de reproches, lettre de refus, lettre de rupture, demande d'explications, de prêt, de recommandation, de service, etc.) afin d'offrir un éventail de cas de figures où il vous sera possible de dégager quelques lignes directrices et des formules qui vous aideront peut-être à trouver l'inspiration.

Toutefois, les situations présentées dans le cadre de la correspondance privée restent très "personnelles" et il importe de se laisser guider sans rester prisonnier de ces modèles très conventionnels ou… trop personnalisés.

• Dans le cadre de la correspondance "d'affaires" :

Nous présentons à la troisième section de ce *Guide* quelques exemples de lettres dites "impersonnelles" ou "d'affaires" adressées par des particuliers à d'autres particuliers ou à des organismes pour régler des problèmes liés à la vie pratique : demande de renseignements, de rendez-vous, d'emploi, de faveur, lettre de réclamation (voire de protestation), lettres d'excuses, etc. Cet éventail de cas de figures est destiné à vous aider à dégager quelques lignes directrices et des formules qui vous aideront, peut-être, à trouver l'inspiration. Remarquons que ce sont les lettres de caractère négatif qui apparaissent le plus souvent dans ce cadre, puisque *vous êtes "DEMANDEUR" dans la plupart des cas* : que vous soyez en position de force (vous exigez, vous réclamez) ou de faiblesse (vous sollicitez, vous présentez des excuses).

Nous nous sommes davantage attachés à présenter les lettres de réclamation, d'excuses et de demande d'emploi parce que ce sont, entre toutes, les plus délicates à écrire, et les seules incontournables : dans la plupart des autres cas, l'envoi d'une simple carte pour demander un rendez-vous (les situations délicates se règlent généralement au cours d'un entretien) ou un coup de téléphone peuvent suffire.

L'objet du message : est-il neutre, positif ou négatif ?

Ensuite, *cherchez-vous, ou non, à atteindre un but précis ? Votre message contient-il une charge neutre, positive ou négative ? Est-il de nature à plaire ou à déplaire à votre correspondant ?*
1. Dans le premier cas, il s'agit de l'échange épistolaire anodin (amical, courtois, voire affectueux), où l'on raconte ou "se" raconte pour échanger des nouvelles et garder le contact, exprimer ses impressions ou ses sentiments sans attendre autre chose de son correspondant qu'il vous réponde en retour ; vous ne courez qu'un seul risque : celui d'ennuyer le destinataire en lui confiant inconsidérément (imprudemment, peut-être) ce que vous feriez mieux de réserver à votre journal intime.
2. La rédaction de la lettre positive ne pose aucun problème : vous remerciez, vous félicitez, vous acceptez une invitation, vous annoncez. Il vous suffira de choisir la formule adaptée à la nature du message.
3. En revanche, *la lettre purement négative* — vous adressez une lettre de rupture ou de réclamation, vous présentez des reproches, des griefs, vous protestez, sermonnez, tancez, menacez, exigez (réparation) ou refusez ce qui vous a été demandé —, *ou qui peut être perçue ainsi par le destinataire* — vous exposez un problè-

me, vous demandez…, vous donnez des explications, vous prodiguez des conseils ou présentez des excuses —, *est autrement plus délicate à écrire et il conviendra dans ce cas de se montrer circonspect. Cadrez plus précisément encore l'objectif et analysez bien le cas de figure, surtout si vous êtes "demandeur" afin de choisir la formule et d'adapter le ton au but recherché.*

L'objet du message : vous êtes demandeur

Vous l'êtes dans presque dans tous les cas, c'est pourquoi la plupart des lettres de ce *Guide* ont pour objet une demande.

1. La lettre de demande.

• Dans la correspondance privée :
- — *l'invitation,*
- — *le demande de nouvelles,*
- — *la demande de renseignements,*
- — *la demande d'éclaircissement,*
- — *la demande d'explication,*
- — *la demande de réconciliation,*
- — *la demande de faveur,*
- — *la demande de prêt,*
- — *la demande de restitution d'un objet prêté,*
- — *la demande de remboursement,*
- — *la demande de service,*
- — *la demande de recommandation,*
- — *la demande d'arrangement (à l'amiable).*

• Dans le cadre de la correspondance "d'affaires" :
- — *la demande de réparation,*
- — *la requête,*
- — *la demande de délai de paiement,*
- — *la demande de documents,*
- — *la demande de renseignements,*
- — *la confirmation de commande,*
- — *la demande de devis,*
- — *la demande de rendez-vous,*
- — *la demande de location,*
- — *la demande de réservation,*
- — *la demande d'inscription (école, maison de retraite, etc.),*
- — *la demande d'un objet oublié,*
- — *la demande d'emploi**
- — *la lettre de démission* (elle contient en filigrane une demande : celle de ne pas vous nuire auprès de votre futur employeur, sinon de lui fournir des renseignements favorables sur votre compte).

---

*La lettre de demande d'emploi, délicate et incontournable entre toutes, fait l'objet d'un développement particulier dans le cadre de la correspondance "d'affaires". Voir formules page 116.

2. La lettre d'excuses. Elle s'inscrit dans le prolongement de la lettre pour demander et sa rédaction est délicate. Qu'il s'agisse de la lettre d'un ami, d'un parent, d'un commerçant, d'un artisan ou d'un entrepreneur et que son objet soit objet ou somme d'argent non rendus ou un service que l'on ne peut pas rendre, une absence scolaire, un retard de livraison ou d'exécution des travaux (commande, chantier, devoir scolaire), de paiement, de remboursement, de réponse à une lettre ou de restitution d'un objet prêté, un dommage (produits défectueux, réalisation non conforme à l'attente, dégâts), attachez-vous tout particulièrement à circonstancier "le corps du délit" afin que la personne mécontente puisse mieux comprendre votre situation et accepter vos excuses. Évitez de lui donner l'impression que vous avancez de fausses excuses et choisissez plus soigneusement que jamais une formule de politesse finale de tonalité respectueuse.

3. La lettre de réclamation et la lettre de refus. Tout aussi délicates et incontournables, représentent les cas extrêmes de, respectivement, la lettre de demande et la lettre d'excuses ; c'est pourquoi elles font l'objet d'un développement particulier à la suite de cette partie.

Appliquez-vous pour les lettres de rédaction difficile à un travail de décomposition au brouillon particulièrement soigné :
A. Exposition des circonstances.
B. Formulation de la demande.
C. Choix judicieux de la formule de politesse.

De plus, que vous preniez la plume pour demander un service, le prêt d'une somme d'argent ou d'un objet, proposer une "affaire", demander réparation, vous excuser de ne pas pouvoir répondre à une demande ou d'être la cause d'un désagrément, VOUS ÊTES DEMANDEUR, alors DEMANDEZ AIMABLEMENT : par exemple, "Auriez-vous la gentillesse (j'en suis sûr) de…".

Les lettres délicates : la lettre de réclamation

Vous demandez "réparation" — remboursement, restitution de l'objet prêté, remplacement des produits détériorés, livraison de la commande, achèvement des travaux, etc. —, vous présentez des reproches, des griefs, vous protestez, sermonnez, tancez, menacez, exigez… Enfin, vous êtes mécontent, que votre lettre s'inscrive dans le cadre de la correspondance privée ou dans celui de la correspondance "d'affaires". Toutefois, cette lettre purement négative n'est pas dépourvue d'une attente. Aussi est-il préférable de ne pas manifester trop désagréablement ce mécontentement. Pensez au mot de Talleyrand : "Tout ce qui est excessif est sans portée." A quoi bon déverser votre bile, vous ne ferez de mal qu'à vous-même car ce n'est certainement pas le meilleur moyen d'obtenir satisfaction ; "On ne prend pas les mouches avec du vinaigre." Transformez donc cette lettre qui pourrait être négative en lettre positive.

Pour cela, libérez-vous au brouillon de tous les débordements verbaux provoqués par la colère qui, comme chacun sait, est mauvaise conseillère : évitez, sinon de heurter votre correspondant, tout au moins de transformer votre message en un amas confus et indéchiffrable de reproches non contrôlés. Vous désirez être lu, voire entendu pour obtenir satisfaction : réparation ou des excuses. Si vous ne maîtrisez pas votre plume, vous risquez de n'obtenir qu'un haussement d'épaules du destinataire qui ne vous prendra pas au sérieux.

Si vous écrivez à votre assureur pour signaler que votre plafond est inondé, ne perdez pas de vue que vous voulez être dédommagé : n'en profitez pas pour déblatérer contre les locataires du dessus, histoire de vous défouler au passage de précédentes relations difficiles, du style "on n'a pas idée de laisser le robinet ouvert". De même, si vous écriviez à un ami qui a conservé trop longtemps le livre prêté ou oublié de vous rendre votre argent, ne l'insultez pas. Faites preuve d'un minimum de correction sinon de psychologie. Pensez à votre intérêt, mais pensez aussi que la personne qui a provoqué votre mécontentement a peut-être des circonstances atténuantes. Soyez tolérant et diplomate.

Dans tous les cas, procédez au brouillon avec méthode.

Méthode :

1. Exposition du problème et expression de votre étonnement.

2. Développement circonstancié sur le désagrément ou le préjudice subi avec l'expression de votre mécontentement pour ce qui est de ce dernier et hypothèses pour ce qui est de ses causes (éventuellement, expression d'une confiance intacte ou de votre déception, voire semonce).

3. Expression ferme de votre attente : demande de réparation circonstanciée (lieu, date et modalités), exigences supplémentaires (voire avertissement et menaces).

4. Formule de courtoisie finale.

• Dans le cadre de la correspondance privée :

1. A une personne qui vous doit de l'argent, exprimez votre étonnement qu'elle vous ait laissé si longtemps sans nouvelles. Demandez-lui ce qui lui est arrivé en prévenant courtoisement les excuses qu'elle pourrait alléguer : maladie, activité débordante, catastrophe… Il est toujours délicat de demander son dû, aussi vous est-il possible de ne pas aborder la question abruptement :

— *Je suis inquiet de ne pas avoir de nouvelles depuis tout ce temps. J'espère qu'il ne t'est rien arrivé de grave.*

— *Sois gentil, donne-moi bien vite signe de vie. Tu sais que je m'intéresse de tout cœur à tout ce qui t'arrive et je me permets d'espérer que tu crois toujours à ma bonne amitié et à mes sentiments les plus dévoués.*

Si le débiteur est bien élevé il ne lui en faudra pas plus.

Mais peut-être craignez-vous de paraître ironique ou trop allusif en employant ce subterfuge ; alors, tournez la difficulté et faites preuve d'humour en vous prenant vous-même en défaut :

— *La personne qui a oublié de vous rendre un livre, prise par ses multiples activités, ignore que vous êtes maniaque au point de ne pouvoir supporter le moindre espace vide dans les rayonnages de votre bibliothèque.*

— *Vous avez fait des "folies"… et votre budget s'en est trouvé déséquilibré.*

Vous aurez ainsi confié gentiment mais fermement votre désagrément, voire vos difficultés passées, présentes ou à venir et personne ne pourra s'en trouver offensé.

2. Mais si ces finesses vous répugnent ou vous paraissent trop allusives, entrez aussitôt dans le vif du sujet : avec des proches ou de "vrais" amis il est préférable d'aborder directement et franchement la question. Exposez clairement et de façon circonstanciée vos difficultés passées, présentes ou avenir :

— Vous avez vous-même besoin de cette somme d'argent pour un objet que vous ne manquez pas de préciser afin que l'on ne croie pas un prétexte : un achat onéreux a déséquilibré votre budget, un rappel d'impôt que vous n'attendiez pas, un imprévu chez vous ou dans votre famille (maladie, accident, etc.), une personne à qui vous voulez venir en aide, ou vous êtes dans l'embarras parce que vous avez vous-même emprunté pour prêter cette somme et la personne risque de trouver le temps long...

— Vous avez vous-même un besoin urgent de l'objet en question pour un travail personnel ou parce que vous avez promis de le prêter à une autre personne qui vous l'a demandé.

En évitant de recourir à l'évocation du désagrément passé et de manifester votre mécontentement en mettant l'accent sur la négligence du débiteur, vous restez positif : la somme d'argent ou l'objet en question vous manque, risque de vous manquer, va vous manquer pour...

Envisagez poliment toutes les circonstances atténuantes qui ont pu en retarder le remboursement ou la restitution.

— *Peut-être ce retard est-il dû à...*

— *Sans doute avez-vous oublié, pris par vos multiples occupations...*

---

3. Toutes ces précautions vous permettront de formuler d'autant plus nettement et fermement votre attente. Vous faciliterez les modalités du remboursement ou la remise de l'objet prêté en prévoyant avec précision le lieu, la date et les circonstances (envoi postal ou visite). Offrez de vous déplacer si vous voulez obtenir plus sûrement et plus rapidement satisfaction :

— *Je pense ne pas te mettre dans l'embarras en te priant de tenir à ma disposition la somme que j'ai été si heureux de pouvoir te prêter. Tu sais d'ailleurs que je suis en toute circonstance à ta disposition...*

— *Je viendrai dès maintenant te rendre visite (m'informer de ta santé). Tu m'obligeras en me remettant la somme que tu sais.*

Ces dernières formules, plus sèches, conviennent davantage à la correspondance "d'affaires".

— *Auriez-vous l'obligeance de m'envoyer par retour de courrier...*

— *Je vous serais reconnaissant de...*

— *Vous m'obligeriez en...*

— *Je vous saurais gré de...*

— *Merci de bien vouloir...*

4. La formule de courtoisie finale est indispensable pour faire passer ce qui reste de blessant dans un rappel, quelque discret ou informulé qu'il puisse être. Demandez votre dû, mais "avec des gants" :

— *Crois, cher Xavier, à mes sentiments toujours dévoués.*

— *Reçois, chère Simone, l'expression de mes sentiments les plus affectueux.*

— *Dans cette attente, je t'embrasse bien affectueusement.*

— *En attendant de tes nouvelles, je t'envoie mes plus amicales salutations.*

La lettre de reproches (ou de protestation) vaut mieux qu'une provocation de vive voix, car elle permet aux deux parties de réfléchir et de se calmer, mais il est préférable de ne pas l'envoyer :"Verba volant, scripta manent" (Les paroles s'envolent, les écrits restent). Contentez-vous de vous défouler au brouillon et peut-être ne voudrez-vous plus l'écrire une fois la colère passée, tel Proust qui avait chargé Cocteau dans une longue lettre d'exposer ses griefs à une personne qui l'avait offensé et qui termine par : "Au fait, ne lui dites rien." Si la personne mérite vraiment vos reproches, demandez-lui une explication et si c'est plus grave, sans doute n'avez-vous "plus rien à vous dire"...

Dans le premier cas, atténuez l'expression de votre mécontentement en les adressant après un compliment et en usant d'euphémisme :

— Je suis très étonné parce que vous m'aviez habitué à votre ponctualité. Apparemment vous ne vous êtes pas rappelé, Monsieur, que...

— Peut-être n'avez-vous pas pu faire ce que vous m'aviez laissé espérer parce que...

— Ce n'est pas pour vous faire des reproches, mais j'aurais préféré que...

— Je ne vous reproche rien, bien sûr... (mais il me semble que...).

• Dans le cadre de la correspondance "d'affaires":

Nombreuses sont, dans ce cadre, les occasions de manifester son mécontentement, mais le schéma de ces lettres offre peu de variantes pour un cas de figure donné, aussi pourrez-vous vous reporter directement à la troisième partie de ce Guide afin d'y trouver les études de cas où sont analysés les principaux cas de figure et les formules standards des lettres-modèles que vous adapterez à votre situation.

Les lettres délicates : la lettre de refus

On vous a demandé un service, de l'argent, le prêt d'un objet et vous ne pouvez répondre favorablement. Il vous faut faire preuve de diplomatie et de beaucoup de courtoisie : il est toujours délicat de refuser et presque impossible de le faire sans froisser la personne qui a pris sur elle de vous solliciter et risque de se sentir doublement humiliée par un refus. Mais vous ne pouvez lui donner satisfaction, alors refusez aimablement, on vous pardonnera peut-être en retour si vous savez vous y prendre avec tact.

1. Le début de la lettre : évitez de commencer par un simple et brutal "J'ai le regret de...", même si, en amitié, il est préférable de s'en tenir à la franchise d'un refus simple et direct :

Mon ami,
Une catastrophe imprévue m'empêche de te prêter les... francs que je t'avais promis. C'est pour moi un véritable déchirement mais figure-toi que je me trouve moi-même aux prises avec les polyvalents et...
(...)   *A toi de tout cœur,*
                                                           Franck.

Vous pouvez également utiliser les formules suivantes :

Croyez bien que c'est le cœur navré que..., mais des raisons qui... m'obligent à prendre des dispositions.

2. *L'excuse invoquée* : expliquez clairement et avec une grande exactitude (réelle ou feinte) les circonstances qui vous empêchent de répondre à la sollicitation qui vous est faite : évitez les explications fumeuses et les développements suspects, prenez la peine de faire un effort de crédibilité, surtout si l'excuse invoquée n'est qu'un prétexte (vous êtes vous-même en difficulté pour une raison précise que vous explicitez — investissements importants qui vous empêchent de disposer de la somme demandée, difficultés pécuniaires liées à un achat à crédit, à une réparation importante, à un accident, à une maladie ou à un autre prêt, besoin que vous avez vous-même de la somme ou de l'objet en question, activités professionnelle et familiale qui vous prennent tout votre temps et vous empêchent de rendre le service attendu, etc.).

3. *Le tact* : ne manquez pas de déclarer vos bonnes intentions (retournez, au besoin, la situation en demandant à l'ami que vous prenez à témoin de faire preuve de solidarité — utilisez le tour impressif : "comme tu sais…" — en lui exposant vos propres difficultés) ni d'exprimer votre sympathie : cela ne vous coûte rien, aussi n'abusez pas du procédé. L'exagération est toujours suspecte, on soupçonnera la feinte. Méfiez-vous, et évitez les termes excessifs : "Je suis au désespoir…, c'est pour moi un chagrin dont je ne me remettrai jamais…"

Tenez-vous en à une retenue de bon aloi : l'idéal classique de mesure, d'équilibre et de concision est plus que jamais de règle lorsqu'il s'agit de rédiger une lettre des plus délicates. Restez sobre mais affectueux.

4. *La fin de la lettre* :

— Croyez, cher ami, à mon dévouement qui vous reste acquis.

Cette formule classique peut toutefois sembler friser l'ironie et être prise en mauvaise part. Préférez-lui alors :

Je te renouvelle, cher Léon, l'expression de mes regrets. Crois bien que je suis navré de te décevoir. J'ose espérer que tu ne m'en tiendras pas rigueur et que tu trouveras le moyen de te sortir d'affaire : fais-moi l'amitié de me tenir informé. Tu sais que je reste attentif à tout ce qui te touche.

Dans cette attente, je t'envoie, avec toute mon affection, mes encouragements et ma sympathie — je puis du moins te soutenir moralement.

André.

• Les lettres officielles se terminent ainsi :

— Nous regrettons beaucoup de vous décevoir et vous prions d'agréer, Monsieur, l'expression de notre meilleure considération.

— Avec tous mes regrets, je vous prie de croire…

• Une lettre plus intime peut se terminer par :
— Merci de ta compréhension…

Situation du destinataire dans la hiérarchie sociale.

Est-il votre égal, votre supérieur, votre inférieur ; homme ou femme ; plus jeune ou plus âgé ; connu ou inconnu ?

Commencer et terminer une lettre sont, pour la plupart, les deux principales difficultés que présente la rédaction d'une lettre. Destiné, en effet, à situer le signataire et le destinataire l'un par rapport à l'autre dans la hiérarchie sociale, le choix des formules ainsi décomposées pour s'adapter aux différentes parties de la lettre vous aura-t-il aidé à trouver l'inspiration et à faire le choix qui correspondra le mieux au cadre de la lettre, à votre attente et à celle du destinataire ?

1. La formule d'appel : dans le cadre de la correspondance "d'affaires" la formule d'appel doit obligatoirement être rappelée, entre deux virgules, dans la formule de politesse finale : c'est elle qui donne le ton à la lettre et détermine, dans une large mesure, la formule de courtoisie finale. Ainsi par exemple :

Chère Madame,
Veuillez agréer, chère Madame, l'expression de mes hommages respectueux.

Arrangez-vous, surtout, pour ne pas couper en fin de ligne l'expression réitérée de la formule d'appel, entre deux virgules, dans la formule de courtoisie finale : essayez de la faire tenir sur l'avant-dernière ligne, ou placez-la sur la dernière. Ne la rejetez jamais à la page suivante.

---

2. La formule d'adieu : la formule de politesse finale (formule conclusive ou formule de courtoisie) sert à prendre congé du destinataire. Elle varie selon la nature des relations qui unissent les correspondants. Elle est déterminée, dans une large mesure, par la formule d'appel qui donne le ton à la lettre.
"In cauda venenum" ? (Dans la queue, le venin.) Toute la difficulté est de trouver "la formule" qui permette de laisser le destinataire sur une bonne impression. Situez-le correctement par rapport à vous dans la hiérarchie sociale : c'est dans cette formule de courtoisie finale que se manifestent le plus nettement les exigences de "l'étiquette". Il vous appartient là, plus qu'ailleurs, d'adapter prudemment la formule conventionnelle à la situation, surtout si vous écrivez à des personnes particulièrement pointilleuses sur la question, jalouses de leurs prérogatives. Méfiez-vous des apparences, celles qui peuvent vous paraître les plus détachées des questions de préséance restent sensibles aux signes qui s'y rattachent, sans même, parfois, s'en rendre compte : elles y sont habituées. Dans le cadre de la correspondance "d'affaires", les nuances qui pourraient sembler les plus anodines sont toujours très significatives sur ce point :
"Tout est signe, et tout signe est message", Marcel Proust.

Utilisez sans crainte de paraître trop obséquieux les formules de politesse en usage dans le cadre de la correspondance "d'affaires" : elles appartiennent à un système convenu et essayer de s'y soustraire passerait pour désinvolte, voire grossier. Vous ne serez jamais trop poli dans ce domaine. Ne soyez pas raide mais ne tombez pas non plus dans l'excès inverse : ne vous "aplatissez" pas. Tout l'art est de savoir conserver le juste équilibre.

• *Évitez la familiarité excessive* dans ce domaine, *l'expression de la supériorité* (surtout si vous vous adressez à un inférieur) *et la condescendance.* Les nuances qui peuvent paraître les plus anodines sont très significatives.

Faites attention à la formule : "Je vous serais reconnaissant de…" ! Si elle n'est pas accompagnée de "bien vouloir" c'est l'expression d'une exigence et non d'une prière.

• Distinguez nettement afin d'utiliser ou d'interpréter à bon escient les formules :
— *"Vouloir bien" : c'est l'expression d'un ordre,* d'une exigence (elle s'adresse à des "inférieurs" : domestiques, commerçants, etc.).
— *"Bien vouloir" : c'est l'expression d'une prière.*

Rappel :
Le français établit des distinctions très nettes entre les différentes sortes de correspondance. A l'intérieur de ce système, le but des formules est de situer le signataire et le destinataire l'un par rapport à l'autre dans la hiérarchie sociale et, en même temps, d'indiquer le lien qui les unit : respect, dévouement ou gratitude, affection, admiration, mais aussi intérêt, autorité, mépris, etc.

3. *"Faites parler les formules" :* il convient, pour finir, de faire preuve d'un minimum de psychologie quand on veut atteindre son objectif (être lu, voire entendu) : adaptez le ton de votre lettre à l'objet du message et à votre destinataire. Toute l'habilité consiste à se servir à propos des formules et à distinguer les nuances ; ainsi nous le prouvent ces formulations variées d'un même message :
— *Venez !*
— *Ne voulez-vous pas venir ?*
— *Viendrez-vous ?*
— *Voulez-vous venir ?*
— *Vous viendrez, n'est-ce pas ?*
— *Dites-moi que vous viendrez !*
— *Si vous veniez ?*
— *Vous devriez venir.*
— *Venez ici !*
— *Ici !*
— *Voulez-vous bien venir !*
— *Faites-moi le plaisir de venir.*
— *Soyez gentil, venez.*
— *Je vous prie de venir !*
— *Venez, je vous en prie.*
— *J'espère que vous viendrez.*
— *Je compte sur vous.*
— *Puis-je vous demander de venir ?*
— *Puis-je me permettre de...*
— *Vous viendrez...*
— *Je vous serais reconnaissant de vouloir bien venir.*
— *Je vous serais reconnaissant de bien vouloir venir.*
— *Auriez-vous l'obligeance de venir ?*
(Liste établie d'après celle de Charles Bally, *Le langage et la vie.*)

De l'ordre sans réplique à l'invitation polie en passant par l'appel désinvolte ou grossier — oscillant entre le vous et le tu —, apprenez à vous y retrouver dans cet écheveau de formules qui n'ont de commun que l'objet du message.
Tout le travail de politesse vise à se rapprocher le plus possible de la formule parfaite : ce travail "d'euphémisation[1]" est celui qui vous permet de passer de l'appel déplaisant ("Voulez-vous venir ?" ou "Venez !") aux invites plus courtoisement formulées ("Ne voulez-vous pas venir ?" : interro-négative qui laisse envisager la pos-

sibilité d'un refus). Il est permis de manifester de l'insistance, à condition d'y mettre les formes. Tout est dans l'adaptation des formules, leur ajustement. Tout est tact, doigté, diplomatie dans le jeu social.

Demander, nous avons pu le constater, cela peut être prier ou ordonner : deux démarches pourtant bien distinctes dont les formulations peuvent paraître équivalentes. Les expressions "vouloir bien" et "bien vouloir" qui suffisent à faire la différence entre la prière (la demande respectueuse à un supérieur dans le dernier cas) et l'ordre sans réplique donné à des inférieurs (dans le premier cas), sont représentatives de ces variations, stylistiquement peu sensibles mais symboliquement tellement significatives au sein du jeu social.

La parfaite adéquation entre "les circonstances" (l'objet du message et votre situation par rapport au destinataire) *et la formulation de la lettre, est le "sésame"* qui vous permettra d'obtenir ne serait-ce qu'un écho s'il s'agit d'un échange épistolaire sans attente particulière, gain de cause si vous avez visé un but précis, du moins une réponse : votre correspondant, s'il est bien élevé, vous lira et vous répondra.

Que vous preniez la plume pour demander (des nouvelles, un renseignement, un service, une faveur ou un emploi), pour présenter une requête ou des réclamations, pour passer une commande, déclarer un sinistre, résilier un contrat, lancer une invitation, refuser, vous plaindre, protester, menacer ou présenter des excuses, vous êtes "LE DEMANDEUR", quelque négatif qu'ait pu être votre message et quelque supérieure que puisse être votre position dans la hiérarchie sociale : c'est vous qui attendrez, une fois la lettre envoyée quel que soit, encore une fois, l'objet de cette attente. Ainsi, par exemple, si vous écrivez pour refuser une invitation, vous attendrez l'effet de votre lettre d'excuse : il faut veiller à refuser l'invitation sans froisser la personne qui vous l'avait adressée. Aussi, après avoir cadré l'objet du message, votre position et celle du destinataire dans la hiérarchie sociale ainsi que bien mesuré votre attente, choisissez avec discernement vos formules au moment de prendre la plume "pour de bon" et modérez vos propos :

— Si vous adressez une lettre de réclamation, évitez de manifester trop vivement votre mécontentement : c'est tellement inutile, et certainement pas le meilleur moyen d'obtenir satisfaction.

— Si vous demandez un service (ou… un emploi), évitez de vous raidir dans des formules sèches qui révéleront mieux que tout artifice votre sentiment d'humiliation. Ce n'est pas le bon moyen de présenter une demande car vous courrez le risque d'être doublement humilié : parce que vous aurez demandé, et que l'on vous aura refusé (sans ménagement peut-être).

•• Alors, jouez le jeu : DEMANDEZ AIMABLEMENT, on vous aimera peut-être en retour (le correspondant s'inspire du style et du ton de votre lettre lorsqu'il vous répond). Respecter les règles du jeu est la meilleure façon de conserver sa dignité : les règles d'usage auxquelles vous aurez sacrifié sont destinées à maintenir une distance respectueuse (et le terme est valable dans les deux sens) entre les deux correspondants, elles vous engagent moins que vous croyez.

— Si vous êtes dépité (voire inquiet) parce que vous êtes dans l'attente, sans nouvelles de votre correspondant, évitez les plaintes, les reproches, les jérémiades à n'en plus finir ou les airs faussement dégagés qui ne trompent personne ("pas de nouvelles, bonnes nouvelles"). Manifestez votre étonnement (voire votre inquiétude), reconnaissez que vous êtes surpris, déconcerté, voire déçu, etc.

•• MÉTHODE, CLARTÉ, CONCISION, TACT, AUTHENTICITÉ et MODÉRATION sont les maîtres mots de l'art d'écrire.

D. LES QUALITÉS DE LA LETTRE

La méthode

Raymond Queneau, à travers sa parodie d'une lettre officielle, illustre ce que doit être une lettre classique construite avec méthode. Le comique de cette lettre repose sur la disproportion entre l'aspect noble et recherché de l'expression et la banalité du sujet auquel elle s'applique ; mais, abstraction faite du ridicule tenant à la caricature du style ampoulé impropre aux circonstances, la trame y est celle d'une lettre construite dans les règles de l'art, tout particulièrement celles qui sévissent dans le cadre de la lettre "d'affaires". La première règle ressortit à la clarté, au cadrage des objectifs et à la composition.

1. Dans le premier paragraphe, annoncez l'objet de la lettre ou informez votre correspondant sur la nature de celle-ci : lettre pour informer, proposer, demander.
— *J'ai l'honneur de vous informer des faits suivants...*

2. Dans le deuxième, précisez les faits et leurs circonstances :
— *Ce jour-là, aux environs de midi, je me trouvais...*
(Éventuellement, dans le troisième paragraphe ajouterez-vous une donnée supplémentaire ou vous attarderez-vous sur un point particulier de l'énoncé précédent : *J'ajouterai à ce bref récit...*)

3. Enfin, exprimez l'objet de votre lettre ou formulez nettement la demande s'il y a lieu :
— *Étant donné ces conditions, je vous prie de vouloir bien, Monsieur, m'indiquer les conséquences que je dois tirer de ces faits et l'attitude qu'ensuite il vous semblera bon que je prenne dans la conduite de...* (R. Queneau).

4. Terminez par une formule de conclusion judicieusement choisie, dans le dernier paragraphe :
— *Dans l'attente de votre réponse, je vous assure, Monsieur, de ma parfaite considération...*

Rappel des trois paragraphes principaux d'une lettre bien composée :
• Exposition des circonstances (introduction).
• Précision de l'objet de la lettre ou formulation de la demande (développement).
• Formule de politesse finale (conclusion).

MÉTHODE, CLARTÉ ET CONCISION sont les qualités premières de l'épistolier :
"Ma méthode est de prendre le plus de souci possible pour trouver la chose qu'il faut dire, et ensuite de la dire avec une légèreté extrême." (G.-B. Shaw.)

La mesure

Le sens de la mesure, clef de voûte de toute la philosophie classique de modération et d'équilibre héritée des Grecs est censée gouverner l'ensemble des comportements humains : les qualités de logique formelle et conceptuelle développées jusqu'ici — méthode, clarté, concision —, qui ressortissent au seul art d'écrire, en dépendent donc. Aussi conviendra-t-il d'essayer de s'initier à toute une philosophie avant d'en appliquer les méthodes. La prudence, la réserve, la discrétion, la délicatesse, le tact et la maîtrise de soi sont des principes de base de l'art d'écrire car les qualités d'écriture d'une lettre correspondent aux qualités humaines de leur auteur. Adoptez donc, avec la devise d'Auguste : "Hâte-toi lentement", l'idéal classique de mesure de l'honnête homme du XVIIᵉ siècle :

"Et ne vous piquez point d'une folle vitesse :
Un style si rapide, et qui court en rimant,
Marque moins trop d'esprit, que peu de jugement.
J'aime mieux un ruisseau qui, sur la molle arène,
Dans un pré plein de fleurs lentement se promène,
Qu'un torrent débordé qui, d'un cours orageux,
Roule, plein de gravier, sur un terrain fangeux.
Hâtez-vous lentement : et, sans perdre courage,
Vingt fois sur le métier remettez votre ouvrage :
Polissez-le sans cesse et le repolissez ;
Ajoutez quelquefois, et souvent effacez."

Nicolas BOILEAU, *l'Art poétique*, chant I.

La confiance réciproque est de règle en matière épistolaire (*relire l'introduction : Écrire est acte de confiance*), malheureusement, il y a loin de la théorie à la pratique, tout le monde ne respecte pas le code de l'honneur, les replis de l'âme humaine sont nombreux et personne n'est à l'abri d'une indélicatesse (trahison du correspondant perfide ou aveuglé par la passion, indiscrétion d'un tiers, etc.). Aussi n'écrivez rien vous-même sous le coup de la passion (colère ou transport amoureux), vous le regretteriez ensuite. A défaut, vous souffririez cruellement si la réponse se faisait attendre (remords, honte, pudeur rétrospective, etc.) : "Toute lettre mérite réponse", mais là encore, il y a loin de la théorie à la pratique. Évitez surtout de mettre en cause une tierce personne : ne faites pas d'esprit sur le dos d'autrui, n'écrivez rien que vous ne sauriez répéter en présence de la personne "intéressée", si vous ne voulez pas connaître les moments désagréables vécus par la Célimène du *Misanthrope* de Molière le jour de la concertation de ses amants dépités par ses lettres médisantes, ou les transes de Cicéron qui vécut toujours dans la hantise d'une indiscrétion : "Je ne veux pas que personne puisse souffrir par une lettre de moi qui soit interceptée."

D'une manière générale, proscrivez le bavardage débridé et les confidences chères aux romantiques. Confiez-vous, si vous éprouvez le besoin de vous épancher, à votre journal intime, ou racontez votre vie dans le cadre d'un roman. Il y a des lettres qui ne s'écrivent pas : Félix de Vandenesse l'apprit à ses dépens dans le roman de Balzac, *le Lys dans la vallée*.

Renoncez au style hyperbolique peu efficace et mesurez vos propos en usant d'euphémismes ("bonne parole" en grec ; figure de style qui consiste à atténuer une notion déplaisante) : "elle a vécu" pour "elle est morte", "n'être plus jeune" pour "être vieux", "je vous remercie" pour "je vous congédie", ou de litotes ("simplicité" en grec ; figure de style qui consiste à atténuer l'expression de sa pensée pour faire entendre davantage qu'on ne dit) : "je ne vous hais point" pour "je vous aime", "ce n'est pas drôle" pour "c'est très ennuyeux", "je ne le trouve pas désagréable" pour "je le trouve sympathique". Vous pouvez également utiliser la double négation : "ce n'est pas que ce ne soit pas supportable" ou "ce n'est pas que ce soit insupportable" pour "c'est supportable".

De même, on évitera de contredire trop brutalement en ayant l'air de mettre en doute ce que le correspondant vous a écrit : au lieu de : "si ce que vous me dites est vrai" vous écrirez : "selon ce que vous me dites" ou "selon votre point de vue", "dans votre perspective", etc.

Et puis, qui sait ? peut-être que, sans le savoir, vous écrirez pour la postérité. Vos descendants ne respecteront pas forcément votre vie privée ; à la recherche du moindre indice qui renseignera le grand public sur ce que vous aviez de plus intime, violant les secrets les plus jalousement gardés de votre vivant, ils traqueront chacune de vos lettres afin de les rassembler en recueils qui figureront parmi les Correspondances célèbres, telles celles de Cicéron, de Madame de Sévigné, de Voltaire ou de Napoléon.

Peut-être un jour vos lettres seront-elles rassemblées en recueils et publiées, les confidences jetées sur le papier livrées en pâture au grand public. Pensez-y avant d'écrire. Pensez plus simplement que votre lettre peut tomber entre les mains d'un tiers. N'écrivez rien que vous pourriez regretter par la suite : *"Les paroles s'envolent, les écrits restent."* Ce qui ne peut être répété ne devrait jamais se dire, encore moins s'écrire…

Le tact

Sans les qualités du cœur et de l'âme, la délicatesse qui vous conduit naturellement à vous mettre à la place de votre correspondant, les qualités formelles et conceptuelles développées précédemment, qui ressortissent au seul art d'écrire dans les règles et avec méthode, restent lettres mortes. Le tact est l'art d'établir une véritable correspondance entre votre destinataire et vous : c'est cette qualité première qui vous permet de personnaliser votre lettre et d'accéder à l'art d'écrire.

Aussi ne perdez pas de vue que le contenu, le ton et le style d'une lettre dépendent à chaque fois :

1. De *la correspondance antérieure* : vous pouvez faire allusion à des informations que vous a fournies votre correspondant, répondre aux questions et demandes qu'il a pu vous faire dans une lettre précédente… Relevez un passage de sa lettre que vous citerez entre guillemets : c'est un signe d'attention, voire d'affection, qui sera toujours apprécié. Ne perdez aucune occasion d'établir le contact, ce qui revient en fait à le rétablir : il s'est passé tellement de temps (toujours trop, même s'il ne s'agit que d'une demi-journée !) depuis que la lettre a été écrite et envoyée. Rappeler ce que le correspondant a écrit (d'autant plus s'il n'y a pas de nécessité apparente : par exemple lorsque vous le remerciez d'avoir évoqué un lieu qui vous a permis de voyager ou de retrouver des souvenirs) est le meilleur moyen de rétablir le contact, de marquer le désir de resserrer les liens, et d'y parvenir. Votre correspondant y sera toujours sensible.

2. De *vos intentions et de votre état d'esprit* : cherchez-vous à plaindre, encourager, féliciter, sermonner, informer… De quelle humeur êtes-vous ? Êtes-vous pressé ou vous attardez-vous à écrire ?…

3. De *la personnalité et de la situation du destinataire* : on n'écrit pas de la même façon à une personne bien portante et à un malade, à une veuve et à une jeune mariée, on ne raconte pas la même chose à quelqu'un qui partage vos goûts et à quelqu'un qui en a d'autres, tout opposés, etc.

4. Des *circonstances extérieures* : succès, échec, événements politiques, saison, date-anniversaire…

Tout l'art de la lettre consiste à s'exprimer de façon personnelle et sincère, tout en adaptant le contenu, le ton et le style de ce qu'on écrit à la situation et à la personnalité du destinataire. Il faut savoir deviner ce qui est capable de l'intéresser ou de le toucher, sans renoncer à le faire participer à ce qui nous tient le plus à cœur.

Les qualités d'écriture d'une lettre correspondent donc souvent aux qualités humaines de leur auteur.

"Le secret est de plaire et de toucher". N. Boileau, *l'Idéal classique.*

5. Les qualités de la lettre personnelle ou l'art de personnaliser une lettre :

• *L'attention à autrui* : répondez à votre correspondant, faites-vous l'écho de ses préoccupations ("Je vois avec bien du plaisir que tu lis…", de Stendhal à sa sœur).

• *La franchise* : donnez-lui votre avis sur les problèmes exposés dans sa lettre, des conseils sur la conduite à tenir s'il vous en demande ("Ta lettre m'effraye. Tu vas faire une folie…", Stendhal à sa sœur ; cf. ci-après lettre de Mme de Sévigné à sa fille).

• *La délicatesse* : tenez-lui le langage qu'il peut comprendre, évitez soigneusement de blesser votre correspondant, mesurez vos propos.

• *La confiance* : faites-le participer à votre vie personnelle au jour le jour, à vos projets, à vos sujets de préoccupations, à vos centres d'intérêt, à vos soucis s'il est capable de les partager.

• *La spontanéité* : n'attendez pas trop longtemps pour répondre et traitez les questions à mesure qu'elles se présentent à votre esprit (si toutefois vous savez conduire un discours : il ne s'agit pas de se montrer incohérent, de passer du coq à l'âne sans préparer le lecteur). ["Il faut écrire exactement ce qu'on dirait à la personne si on la voyait… réponds-moi article sur article", de Stendhal à sa sœur.]

• *Le tact* : cette qualité est primordiale en matière de correspondance. D'elle découlent toutes les autres. C'est elle qui vous permettra d'adapter la présentation, le propos, le style et le ton de votre lettre à la personnalité de votre correspondant, aux circonstances, de RÉPONDRE À SON ATTENTE. Le manque de tact vient presque toujours d'une sorte d'égoïsme plus ou moins brutal, qui rend incapable de se mettre à la place d'autrui. Il s'agit parfois de simple maladresse, plus souvent d'indifférence ou de mépris envers ses semblables.

Il arrive, bien sûr, qu'on blesse sans le vouloir : pour éviter le "manque de tac" en toute circonstance, il faut être sur ses gardes, et le meilleur moyen, lorsqu'il s'agit de correspondance, c'est de FAIRE UN BROUILLON que l'on relira en se mettant à la place du destinataire.

Le naturel

C'est la qualité la plus prisée des classiques — "le secret" n'est-il pas de "plaire et de toucher" ? — : on n'y parvient qu'au prix d'un exercice régulier de l'expression et d'une longue habitude de retenue ; fruit de l'artifice, voire du sacrifice, c'est le sens de la mesure et le tact qui l'autorisent. Il ne s'agit pas, bien sûr, de tout dire, mais de dire avec grâce. L'apparente spontanéité des lettres de madame de Sévigné, la très célèbre marquise épistolière qui fit de l'art de la correspondance un genre à part entière, en est la meilleure illustration.

A Livry, jeudi au soir 2 novembre 1679.

Je vous écris ce soir, ma très chère, parce que j'ai envie d'aller demain à Pomponne. Madame de Vins m'en priait l'autre jour si bonnement, que je m'en vais la voir, et M. de Pomponne, que l'on gouverne mieux en dînant un jour à Pomponne avec lui, qu'à Paris en un mois. Vous voulez donc que je me repose sur vous de votre santé, et je le veux de tout mon cœur [...]

Faites donc, ma chère enfant, tout ce que vous dites : prenez du lait et des bouillons, mettez votre santé devant toutes choses ; soyez persuadée que c'est non seulement par les soins et par le régime que l'on rétablit une poitrine comme la vôtre, mais encore par la continuité des régimes ; car de prendre du lait quinze jours, et puis dire : "J'ai pris du lait, il ne me fait rien", ma fille, c'est se moquer de nous, et de vous-même la première. Soyez encore persuadée d'une autre chose, c'est que sans la santé on ne peut rien faire ; tout demeure, on ne peut aller ni venir qu'avec des peines incroyables : en un mot, ce n'est pas vivre que de n'avoir point de santé. L'état où vous êtes, quoi que vous disiez, n'est pas un état de consistance ; il faut être mieux, si vous voulez être bien. Je suis fort fâchée du vilain temps que vous avez, et de tous vos débordements horribles ; je crains votre Durance comme une bête furieuse. [...] Il faut regarder Dieu, et lui demander la grâce de votre retour, et que ce ne soit plus comme un postillon, mais comme une femme qui n'a plus d'affaires en Provence, qui craint la bise de Grignan et qui a dessein de s'établir et de rétablir sa santé en ce pays.

Je crois que je ferai un traité sur l'amitié : je trouve qu'il y a tant de choses qui en dépendent, tant de conduites et tant de choses à éviter pour empêcher que ceux que nous aimons n'en sentent le contrecoup ; je trouve qu'il y a tant de rencontres où nous les faisons souffrir, et où nous pourrions adoucir leurs peines, si nous avions autant de vues et de pensées qu'on en doit avoir pour ce qui tient au cœur, enfin je ferais voir dans ce livre qu'il y a cent manières de témoigner son amitié sans la dire, ou de dire par ses actions qu'on n'a point d'amitié, lorsque la bouche traîtreusement vous en assure. Je ne parle pour personne ; mais ce qui est écrit est écrit.

J'admire la lettre de Pauline : est-ce de son écriture ? Non ; mais pour son style, il est aisé à reconnaître : la jolie enfant ! Je voudrais bien que vous puissiez me l'envoyer dans une de vos lettres ; [...] Je m'en vais lui faire réponse.

Je quitte ce lieu à regret, ma fille : la campagne est encore belle ; cette avenue et tout ce qui était désolé des chenilles [...] est plus vert qu'au printemps dans les plus belles années ; les petites et les grandes palissades sont parées de ces belles nuances de l'automne dont les peintres font si bien leur profit ; les grands ormes sont un peu dépouillés, et l'on n'a point de regret à ces feuilles picotées, la campagne en gros est encore toute riante ; j'y passais mes journées seule avec des livres ; je ne m'y ennuyais que comme je m'ennuierai partout, ne vous ayant plus. Je ne sais ce que je vais faire à Paris ; rien ne m'y attire, je n'y ai point de contenance ; mais le bon abbé dit qu'il y a quelques affaires, et que tout est fini ici : allons donc. Il est vrai que cette année a passé assez vite ; mais je suis fort de votre avis pour le mois de septembre ; il m'a semblé qu'il a duré six mois, tous des plus longs. Je vous manderai à Paris des nouvelles de mademoiselle de Méri.

Je n'eusse jamais pensé que cette Madame de Charmes eût pu devenir sèche comme du bois : hélas ! quels changements ne fait point la mauvaise santé ! Je vous prie de faire de la vôtre le premier de vos devoirs. [...]

Adieu, ma chère enfant : je vous aime au-delà de tout ce qu'on peut aimer.

Les qualités de la lettre de Madame de Sévigné ou l'art de la lettre.

Très affectueuse et expansive, Madame de Sévigné souffre d'être séparée de sa fille qui avait épousé le comte de Grignan et qui, de ce fait, vivait le plus souvent en Provence alors que sa mère résidait soit dans la région parisienne soit en Bretagne : c'est pourquoi elle lui écrit presque chaque jour pour lui faire part de ses projets et de ses réflexions, exprimer ce qui lui tient à cœur, lui donner des conseils, l'informer, décrire ce qu'elle voit, etc. La lecture de cette lettre exemplaire par sa vivacité et sa chaleur nous permet de dégager les qualités dont il faut faire preuve dans une lettre vraiment intime :

• *L'attention à autrui :* Madame de Sévigné parle très peu d'elle-même pour s'inquiéter de la santé de sa fille et du temps qu'il fait dans la vallée de la Durance où elle vit. Elle ne manque pas de rappeler certains passages de la lettre de sa fille et d'y répondre : "Vous voulez que je me repose sur vous de votre santé" ou "J'admire la lettre de Pauline" (Pauline est une des filles de Madame de Grignan, alors âgée de cinq ans).

• *La franchise :* Madame de Sévigné est inquiète, elle ne le cache pas : prodiguant recommandations et conseils, elle ne craint pas de se montrer sévère et même un peu fâchée : "Ma fille c'est se moquer de nous, et de vous-même la première."

• *L'affection :* Les remontrances de Madame de Sévigné sont dictées par un amour maternel si intense — "Je vous aime au-delà de ce qu'on peut aimer" — que Madame de Grignan ne peut s'en offusquer. A travers ce dialogue fictif, on sent bien qu'elle cherche à se donner l'illusion que sa fille est encore auprès d'elle et combien elle lui manque : "Je ne m'y ennuyais que comme je m'ennuyerai partout, ne vous ayant plus." Tout est prétexte pour essayer de se rapprocher d'elle ("je suis fort fâchée du vilain temps que vous avez") ou l'attirer vers elle : "Il faut regarder Dieu et lui demander la grâce de votre retour."

• *La spontanéité :* Madame de Sévigné parle des différents sujets à mesure qu'ils se présentent à son esprit : "Je vous écris ce soir, ma très chère, parce que j'ai envie d'aller demain à Pomponne", "Je crois que je ferai un traité sur l'amitié", "J'admire la lettre de Pauline".
En fait, cette spontanéité n'est qu'apparente : Madame de Sévigné use avec habileté de cet artifice pour ne pas ennuyer sa fille en insistant trop sur ses sujets d'inquiétude et de tristesse : "Le secret est de plaire et de toucher" ; le but avoué de la littérature classique est d'abord le divertissement, d'où le ton primesautier de toute la lettre. La pointe finale sur Madame de Charmes est l'illustration de cet art d'enseigner et de divertir à la fois. Sans en avoir l'air, Madame de Sévigné cherche à faire peur à sa fille pour qu'elle se soigne avec plus de sérieux : "quels changements ne fait point la mauvaise santé !" Et la lettre se termine sur la recommandation qui semble l'avoir motivée : "Je vous prie de faire de la vôtre le premier de vos devoirs."

• *La confiance :* Elle fait participer sa fille à ses projets de voyage : "J'ai envie d'aller demain à Pomponne" et d'écriture : "Je crois que je ferai un traité sur l'amitié". Elle lui décrit le paysage : "la campagne est encore belle…" et lui parle de personnes de leur connaissance : "M. de Pomponne qu'on gouverne mieux en dînant un jour à Pomponne avec lui, qu'à Paris en un mois", "Je n'eusse jamais pensé que Madame de Charmes eût pu devenir sèche comme du bois".

• *La vivacité :* elle change de ton quand il faut, alliant la description et la réflexion personnelle au récit : comme Stendhal, elle sait entrer dans le vif du sujet et donner l'impression du ton de la correspondance familière, divertir et instruire son correspondant sans l'ennuyer, tour à tour alerte (projet de départ), grave (elle donne des conseils), sévère (elle réprimande), triste (elle souffre de l'absence de sa fille), sérieuse (elle projette d'écrire un traité), enjouée (elle s'attendrit sur la lettre de sa petite-fille, chaleureuse et expressive (elle décrit ou exprime des sensations ou des sentiments), affectueuse (elle exprime son amour pour sa fille. Très expansive, elle prend la plume dès qu'un fait la frappe pour écrire des lettres enlevées où les phrases courtes ou alertement ponctuées ne souffrent jamais de son goût du détail.

Tour à tour alerte et limpide comme celle de Voltaire, enjouée et expressive comme celle de Madame de Sévigné, énigmatique et narquoise comme celle de Mérimée, âpre et corrosive comme celle de Saint-Simon, la correspondance idéale saura allier les qualités des plus grands épistoliers de la littérature et associer tous les genres : le récit, la description, le portrait, la satire, la fable, le pastiche, le poème… et tous les tons : la gravité, l'humour, la plaisanterie, l'ironie, l'invective, l'affection…

Reportez-vous pour personnaliser encore davantage vos lettres à tous les genres représentés dans la litterature : correspondances célèbres ou romans par lettres, lettres philosophiques, satiriques ou édifiantes, poétiques, de circonstances, amusantes ou pittoresques ; toutes les formes : roman, journal, fable, épître, avertissement, envoi, préface, aphorisme, épitaphe, billet, carte, poèmes (calligrammes, odes, stances, sonnets, chansons, épigrammes, madrigaux, blasons, énigmes, psaumes, échos) ; tous les tons : spirituel, amusant, ironique, cassant, suppliant, révolté, moqueur, édifiant ou affectueux peuvent être choisis selon la circonstance, toutes les formes de lettres, de la lettre pittoresque, la lettre pour demander des nouvelles, la lettre pour encourager, la lettre satirique, la lettre-jeu, la lettre-confidence, la lettre médisante, la lettre d'amour, la lettre de rupture, la lettre intéressée, la lettre pour demander un service, la lettre pour emprunter de l'argent, la lettre pour donner des conseils au récit de voyage…

---

[1] *Euphémisme* ("bonne parole" en grec) : expression atténuée d'une notion dont l'expression directe aurait quelque chose de déplaisant.

II

LA LETTRE PERSONNELLE

La lettre de remerciements

Elle doit être adressée dans les vingt-quatre heures pour une invitation, un cadeau ou après un séjour chez des amis ("lettre de château").

Présentation d'une lettre de caractère privé :

(1) Blois, le 13 février 19..

(2)Jeanne Sinclair
   18, avenue Paul-Valéry
   41000 Blois

en-tête ou… photographie instantanée de la petite fille portant le nouveau cadeau qu'elle a reçu.

(3) *Chère Madame,*

(4) *Vous ne pouvez savoir à quel point nous sommes touchés, Pierre et moi, de votre charmante attention. Anne resplendit dans la superbe robe que vous lui avez envoyée. Ce cadeau nous rend d'autant plus confus que nous savons combien votre temps est pris.*

(5) *Nous serions heureux, si vous aviez un jour l'occasion de descendre sur la Côte d'Azur, de vous recevoir dans notre petite maison. Anne trouverait le moyen de vous remercier en vous prodiguant de ces sourires dont elle a le secret.*

(6) *En vous renouvelant, chère Madame, l'expression de notre reconnaissance, nous vous prions de croire à notre respectueux et fidèle souvenir.* (7)

(8) *Jeanne Sinclair*

(9) *P.-S. : Notre "Polaroïd" nous a permis de réaliser une photographie qui vous permettra de constater qu'Anne est ravie de porter votre gracieux présent.*

Composantes de la lettre :

1. Le lieu et la date.

2. L'en-tête (plutôt employé dans l'administration ou le commerce, il n'est pas indispensable pour une lettre personnelle de caractère privé). Pourquoi ne pas mettre à la place une pensée (citation d'auteur ou fleur séchée)… ou comme dans cet exemple : une photographie ? C'est un bon moyen de personnaliser une lettre.

3. La formule d'appel.

4. Le début de la lettre.

5. Le début d'un paragraphe (ou développement).

6. La fin de la lettre.

7. La formule de politesse.

8. La signature.

9. Le post-scriptum.

La lettre sera bien sûr *manuscrite.*

La lettre amicale

Impressions de voyage : le récit sera enlevé, le ton alerte, enjoué, voire spirituel. La première règle est ici de divertir.

M. et Mme Raoul Alluni   Strasbourg, le…
Hôtel de Berne
67… Strasbourg

Bien chers amis,

Je vous écris ces quelques lignes, pendant que Raoul est occupé à ce congrès qui touche à sa fin, pour vous dire que je ne regrette pas de l'avoir accompagné. Dans très peu de temps, j'espère que nous aurons l'occasion de nous rencontrer et je pourrai alors vous raconter plus en détail tout ce qui s'est passé.

Aujourd'hui je voudrais seulement vous faire partager quelques impressions à propos d'une escapade que nous avons pu nous permettre en fin de semaine. C'est un peu en me laissant entrevoir la possibilité de faire un tour en Rhénanie — peut-être pour apprendre à y goûter le charme envoûtant de la Loreleï ? —, que Raoul avait réussi à me décider à l'accompagner. En cette fin de saison, j'aurais trop craint, sans cette perspective, de m'ennuyer et d'avoir froid en me promenant seule dans les rues.

Et bien, je n'ai pas été déçue. Strasbourg est une très belle ville, auréolée maintenant de sa promotion à l'échelle européenne. Le soir même nous étions à Mayence qui m'a paru une ville très intéressante, à la fois riche d'un passé qui se ressent et très animée par des activités qui ont la jeunesse et le dynamisme de notre époque cosmopolite ; je ne l'ai guère vue que le soir. Nous avons dormi chez des amis de jeunesse de Raoul qui ont insisté pour nous garder, mais qui malheureusement ne parlaient pas français…

Dès le matin, nous partions en voiture pour longer le Rhin, presque jusqu'à Coblence ; et là alors, ce fut un enchantement, au vrai sens du mot. Non seulement le paysage était beau par sa nature même mais, ce qui ajoutait un charme plus étrange encore à ce qu'il avait de captivant, c'était cette profusion de châteaux, de très vieux châteaux plus ou moins en ruines pour la plupart, m'a-t-il semblé, et comme oubliés à flanc de coteaux. Je n'en avais jamais vu autant, et comme il ne se trouvait aucune habitation moderne aux alentours, on avait l'impression de voyager dans un pays de légende. Cet effet d'irréalité, assez riante parce qu'il faisait beau, m'a laissé une empreinte tout à fait particulière.

J'ai tenu à vous faire part de cette expérience encore fraîche à mon esprit, parce qu'elle m'a surprise agréablement. J'avoue que, tout comme vous, j'étais moins attirée par ce qui me semblait tristement noyé dans les brumes du Nord, préférant rêver de chauds horizons et d'azurs sans mélange.

Sans vouloir refroidir le moins du monde votre enthousiasme à l'idée de ce voyage en Crète dont vous vous régalez à l'avance — enthousiasme que je partage —, je vous engage vivement pour les vacances suivantes à envisager courageusement de remonter vers le Nord pour d'autres cousinages, vous voyez que le Rhin gagne à être fréquenté de plus près !

Nous en reparlerons très bientôt, amis très chers, cette lettre pouvant très bien arriver en même temps que nous.

> *Je vous embrasse déjà,*
> *Michèle*

* * *

La carte postale

Missives brèves et affectueuses, amusantes et spirituelles si possible, pour donner les principales impressions d'un voyage, ou des nouvelles tout simplement. Choisissez des cartes de bon goût : paysages, faune ou flore de la région, reproductions de tableaux.

Nous avons été heureux de trouver les enfants en parfaite santé et bien installés. Nous n'avons même pas eu à ouvrir le parapluie ! Mais si le ciel de Paris nous a été clément, nous serons quand même bien contents de fouler à nouveau bientôt la bonne terre de Manosque.

> *Amitiés,*
> *Guy et Adeline MARCELIER*

M. et Mme A. VIGON
Propriété de la Marjolaine
MANOSQUE

* * *

Une grosse bise de nous toutes, En vadrouille au pays des cigales, nous n'allons pas nous priver de chanter et danser… mais pas tout l'été, hélas !

A bientôt le revoir. Salut aux copains du club.

> *Véro, Cathy, Brigitte, Geneviève*

AMICALE DES SPORTIFS
de Saint-Barthélemy
c/o M. Albert CIAIS
ALBERTVILLE

----

* * *

Nous avons fait une excursion dans les gorges du Verdon. Grandiose ! Et cette couleur ! Tellement plus vivante que sur cette carte.

Vous embrasse bien affectueusement.

> *Émilie et Laurent*

Madame GRANDJEAN
Maison de la Fontaine
Allée des Framboisiers
ANNECY

Elle a un air penché, c'est sûr !
Vérifié entre deux trains : découverte illu-
minée dans la nuit des rues désertes, sauf un
boulanger en sous-sol, c'était saisissant !
En gare de Pise au petit matin, je pense à
vous.

Alain

M. et Mme Toussaint
Avenue des Arènes, 83
Nimes

------

* * *

Depuis que Colomb l'a découverte, elle n'ar-
rête pas d'éternuer...
Ceci pour te prouver qu'à Disneyland je me
suis sentie chez moi !
Atchoum !

Grosses bises
Mary-Jo

Mlle Corinne Blanchard
Rue des Potiers
Quartier Saint-Basile
Marignane

------

* * *

Nous vous envoyons notre meilleur souve-
nir de Lisbonne. Autre chose que l'Espagne,
le Portugal. mais très attachant.
A bientôt le retour. Bises à vous deux de
Toinette
Oncle Victor
Maxime et Caroline

M. et Mme Lemoigne
Avenue de l'Armée, 85
Orleans

• Surtout si vous êtes en voyage, pensez à faire "parler" le paysage :

Megève, le 13 août 19..

Au-dessus du torrent,notre balcon touche les branches de sapin où écureuil et ber-
geronnettes se faufilent. Le tumulte des eaux et les carillons du clocher Saint-Jean
troublent notre repos bienvenu.
L'air tonifiant de la montagne devrait nous donner un brin de jouvence pour
retrouver le Bassin parisien.
Amicalement.

Bises pour Charlotte,
Dominique

* * *

Un ciel quelque peu capricieux règne sur nos vacances en Bretagne ; mais une
sympathique maison nous abrite et permet aux enfants de "s'égailler" dans sa
vaste cour.
De plus, la mer toute proche, qu'elle soit paisible ou déchaînée, est un but idéal
pour nos promenades.
Nous te souhaitons, ainsi qu'à Philippe et Bérengère, des vacances aussi sereines
que les nôtres. A bientôt.
Amitiés,

Sylvie, Jean-Eudes
+ Bérénice
+ Romain

Hello !
New York est dans tous les sens une cacophonie triomphante ! C'est vraiment une
ville effrayante, laide jusqu'à la beauté tendue, excitante.
                            A bientôt,
                                    Françoise et Jean-Claude

Pensez à commenter le motif qui y figure ainsi que la citation qui, parfois, l'accompagne.

• Carte représentant un vol d'oiseau.:

Cet essor qu'ils figurent, c'est ce que nous vous souhaitons pour ce nouveau
départ vers l'inconnu.
Nous attendons avec impatience vos impressions.
                            Amitiés,
                                    Anaïs et Alain

* * *

• Carte représentant deux chaises vides face à la mer avec citation en exergue :
"Qui pour nous écouter ?
    Partager la tendresse désolée
    Et le petit jour de l'attente…"
                    Clairette DUDA.

Ma chère Florence,

Deux chaises vides sur la Promenade d'une Nice insolite et colorée... attendent
une double présence ! Bref je ne sais pas quand vous viendrez vous y asseoir ! Ce
n'est pas sans le regretter, même si je me réjouis pour vous de ce nouvel état de bon-
heur et de sérénité.
A vous très affectueusement. Je vous embrasse.
                            Christine

* * *

• Carte postale représentant une petite fille :

Amsterdam, le 4 août 19..

Une petite bonne femme qui en dit long depuis longtemps et m'a paru mériter de
sortir du musée pour accompagner de son gentil sourire nos plus affectueuses pen-
sées d'une journée vécue à Amsterdam, ville de contrastes s'il en est.
Nous vous embrassons tous trois.
                    Maud, Christian

Pensez à faire écrire les enfants. S'ils ne savent pas, tenez la plume à leur place et ils
signeront en "grosses lettres", ou demandez leur de recopier, d'après un modèle ou en
repassant sur le crayon gris. Dessins et photographies seront toujours bien accueillis.

Le faire-part

• FIANÇAILLES :

Evelyne DESMARAIS et Pierre-Alain RENAULAC

ont le bonheur d'annoncer leurs fiançailles pour le 4 juillet 19.., et seraient heureux de vous recevoir, à partir de 17 heures 30, dans les jardins du PALACE HÔTEL, quai Vercingétorix.

* * *

• MARIAGE :

M. et Mme TRUCHET Édouard et M. et Mme GRAS Charles

sont heureux d'annoncer le mariage de leurs enfants Annie et Claude.
La bénédiction nuptiale aura lieu à 16 heures le 27 avril 19.. à la basilique Saint-Jean-Baptiste et sera suivie d'un lunch servi dans les salons du restaurant de l'Europe à partir de 18 heures.

Yves MERCIER et Marie-Ange LEFEBOR

seront unis par les liens du mariage le 11 août 19.. à la mairie de MOUGINS et vous prient d'assister à la réception qui se tiendra à partir de 17 heures à la PERGOLA de MOUGINS, route de Grasse.

Veuillez confirmer avant fin juillet.

* * *

• NAISSANCE :

Ghislain, 4 ans,
est très fier de vous annoncer la naissance de sa petite sœur
CORNÉLIE

Bourges, le 4 avril 19..

Monsieur et Madame SUREAU
sont heureux d'annoncer la naissance de leurs jumelles
ANGÉLIQUE et BÉNÉDICTE

Arcachon, le 16 mars 19..

L'arrivée d'un petit frère prénommé
JUSTIN
est venue combler de joie Sandrine et Amanda MALAUSSÈNE.
Avignon, le 7 avril 19..

Les condoléances

Très émus par la disparition de M. Marc ESTEBAN que nous avions en profonde estime et affection, nous vous adressons chère Madame, l'expression de nos bien sincères condoléances.

C'est avec beaucoup de tristesse que j'ai appris le décès d'Emmanuel. C'est une grande perte pour nous tous et je vous prie de croire, chère Irène, que je prends part à votre peine bien vivement, vous assurant de toute notre sympathie.

Sincères condoléances.

Au nom de tous les employés des Établissements Pierre et André CHARBONNIER, je vous prie de bien vouloir accepter, à l'occasion du deuil qui vous frappe si cruellement, nos très sincères et respectueuses condoléances.

Denis MAURICET
Expert *comptable*

Ma chère amie,

Désolée de la triste nouvelle, je t'adresse mes sentiments de vive sympathie. Je sais quelle affection tu perds et je comprends ton affreux chagrin. Ma tendresse pour toi me fait compatir profondément à ta douleur.
Bien affectueusement et bien tristement.

* * *

• TÉLÉGRAMMES DE CONDOLÉANCES

— Nous partageons votre chagrin. Vous envoyons condoléances affectueuses et amitiés très attristées.
— Suis avec vous de tout cœur. Impossible partir pour obsèques, cause de maladie. Vous offre condoléances bien sincères.
— Nouvelle décès votre tante m'a surpris douloureusement. Ne puis partir pour Rennes ; mais penserai à vous dans ces jours cruels.
Amitiés et condoléances.
— Très ému, triste nouvelle. Envoyons à toute la famille expression sympathie et vives condoléances.
— Douloureusement surpris, vous envoyons cordiale sympathie et sentiments affectueux.
— Apprends avec douleur deuil qui vous frappe. Suis de tout cœur avec vous et conserve pieux souvenir de l'ami disparu.

* * *

Les vœux et les souhaits

• ANNIVERSAIRES

Comme le temps passe !
Il va peut-être falloir commencer à te prendre au sérieux !
Toutes mes félicitations pour avoir si bien bouclé ta troisième décade.

Bien sincèrement,
Jérôme

Ma chère Cécile,

Je ne voudrais pas laisser passer cette date sans te souhaiter un joyeux anniversaire.
C'est bien dommage que cette année je ne puisse me joindre à vous, mais je penserai bien à toi et je t'embrasse de tout mon cœur en attendant le plaisir de nous revoir bientôt.

Elisabeth

Mamie chérie,

Nous t'envoyons ces dessins pour ton anniversaire avec beaucoup de bisous. Papa et Maman espèrent que tu auras le petit paquet. Nous pensons que tu seras contente parce que c'est un livre, et que c'est ce que tu préfères.

Virginie et Sébastien

* * *

• LA CARTE D'ANNIVERSAIRE D'UNE GRAND-MÈRE À SA PETITE FILLE

Manou

à Cambo-les-Bains, le 24 août 19..

Ma bien chère petite-fille,

Mon unique encore pour le moment, et mon unique petite Virginie pour toujours, même si c'est une petite sœur qui arrive chez tes petits cousins d'Avignon.
Ce sera toujours toi la première qui m'auras appris à avoir un cœur de grand-mère. Cette lettre est pour toi, rien que pour toi, pour te dire que je serai avec toi par la pensée le jour de ton anniversaire.
Continue de faire la joie de tes parents et de tes grands-parents. Je t'embrasse de tout mon cœur, ma chérie.

Manou, qui t'aime tant.

* * *

• VŒUX DU NOUVEL AN

Ils peuvent s'envoyer de décembre à fin janvier.

Sète, le…

Monsieur et Madame Marc Letillois
5, rue Paul-valéry
34… Sète
Tél. …

Adressent à Gilberte et Marcel P…
en même temps que leurs vœux à l'occasion de la nouvelle année, l'expression
de leur affectueuse sympathie.

L'en-tête et la signature sont facultatifs lorsque vous adressez une carte.

Decize, le 23 janvier 19..

Céline et Didier Bertil
24, rue M.- Genevoix
58… Decize

Chers tous trois,

Voici juste un mois, nous recevions votre gentille carte de vœux : à notre tour de vous souhaiter tout ce dont vous rêvez, et d'abord la santé !

Que ces nouveaux douze mois nous permettent d'apprécier encore la qualité et le charme d'échanges cordiaux, et nous fassent découvrir tous les chemins de l'amitié que nous ne connaissons pas encore !

Nous vous embrassons bien affectueusement.

Céline et Didier Bertil

Paris, le 22 décembre 19..

Sœur Bernadette
"Ma Maison"
72, rue des Saints-Pères
75… Paris

Chers amis,

Votre carte nous a fait bien plaisir. Vous me dites que cette année 19.. a été pénible pour vous… Maintenant elle est passée… Ne vivez pas dans le passé, ni dans l'avenir, vivons de notre mieux la minute présente, toujours pleine d'espérance. Et puis lorsque ça ne va pas, il faut prier et prier encore.

Du fond du cœur, je vous souhaite une bonne et sainte année ainsi qu'une bonne santé. J'espère que vous viendrez nous rendre une petite visite…

Veuillez recevoir, chers amis, l'expression de nos sentiments respectueux.

Sœur Bernadette

* * *

La lettre pour demander des nouvelles

• A UNE AMIE :

Illiers, le 18 juin 19..

Estelle Letillois
6, allée Marcel-Proust
28… Illiers-Combray

Ma chère Léonie,

J'ai appris par Odette que tu étais souffrante. J'espère que ce n'est pas trop grave. Tu me vois tout de même inquiète — tu sais comme je m'affole dès qu'il arrive la moindre chose à un être qui m'est cher —, d'autant que je sais par expérience que les ennuis de santé à répétition finissent par avoir des répercussions sur le moral. Tu n'avais vraiment pas besoin de cela en ce moment !

Mais je te sais toujours vaillante face à l'adversité ! Heureusement aussi que tu es bien entourée : Charles t'aide certainement beaucoup et Gilberte, qui a dû grandir en grâce et en sagesse, représente sans doute une adorable petite compagne, câline et attentionnée à souhaits. Et puis, les vacances approchent à grands pas, l'air de la montagne saura te faire oublier ces mauvais moments. Courage !

Donne bien vite de tes nouvelles afin que je sois tout à fait rassurée — nous ne partirons pour Trouville qu'à la mi-juillet —, et dis-moi si tu souhaites recevoir ma visite. Je n'ose appeler de crainte de troubler ton repos. Je viendrais avec plaisir un mercredi, ou un autre jour à ta convenance en fin d'après-midi ; Albertine m'accompagnerait si tu n'y voyais pas d'inconvénient : elle jouerait avec Gilberte pendant que nous causerions. Sois sans inquiétude, je comprendrais très bien aussi que tu préfères rester seule.

En te souhaitant une meilleure santé, je vous embrasse de tout cœur, Gilberte et toi.

*   Mes amitiés à Charles.*

* * *

La lettre pour donner des nouvelles

• Vous répondez à une amie qui a appris que vous étiez souffrante :

Orange, le 5 août 19..

Bonjour Monique, vous voilà donc de retour après des vacances réussies, je l'espère. De notre côté, nous sommes rentrés depuis quelques jours déjà, mais nous repartirons une semaine encore : du 7 au 13. Valentine pense déjà au CP.

Tu me demandes des nouvelles de ma santé, en voici : cette conjonctivite n'est toujours pas jugulée malgré les nombreux traitements. J'ai profité de notre séjour dans la région pour aller consulter le professeur R... qui fait autorité là-bas. Malheureusement, il est encore trop tôt pour t'assurer de la guérison complète : après le coup de fouet provoqué par la piqûre de cortisone, l'irritation oculaire et l'infection semblent encore bien installées.

Ne me tiens pas rigueur de mon silence mais j'étais très fatiguée avant les vacances.

Rassure-toi, le moral est bien meilleur à présent.

Espérant vous revoir un prochain jour, nous vous embrassons tout trois bien affectueusement.

* * *

La lettre pour donner des nouvelles d'un ami malade

Charleville, le 14-10-19..

Richard Daru
56, place A.-Rimbaud
08... Charleville

Cher Paul,

Profitant de l'occasion qui m'est donnée de vous écrire, je voudrais vous rassurer sur l'état de santé de notre ami Charles.

Votre précédent mot m'ayant donné les plus vives inquiétudes sur son état, j'ai tenu à m'assurer personnellement des conditions de sa convalescence.

Votre sollicitude et ma visite l'ont touché, profondément touché, et il se réjouit déjà de son prochain retour parmi nous.

Vous savez avec quelle impatience nous attendons votre visite.

Votre dévoué serviteur,
Richard Daru

* * *

La lettre de rupture

Mon cher Guillaume,

Je crois que tu te doutais depuis un certain temps déjà que je cherchais à te dire quelque chose. je n'ai pu m'y résoudre jusqu'à présent parce que je lisais dans tes yeux une interrogation muette, mi-inquiète, mi-confiante qui me bouleversait. Tu savais que je parlerais quand cela deviendrait vraiment nécessaire. Nous nous étions toujours promis de ne rien nous cacher. Donc, tu attendais, sans ajouter à mon tourment secret, celui de tes questions auxquelles je ne pouvais répondre encore.

Je te remercie de ta délicatesse et je m'en veux d'autant plus de ne pas trouver maintenant le courage de te dire en face que je vais te quitter. Je ne suis pas fière de cette seule entorse à ce que nous étions convenus au début de nos relations.

Si je ne t'ai rien dit du trouble ressenti dès le premier soir où j'ai revu Stéphane, et dont tu avais certainement eu le pressentiment, et si je n'ai encore rien dit par la suite, c'est que bien loin de vouloir t'induire en erreur, j'avais l'illusion de me tromper moi-même sur la nature de mes sentiments. Ce que je n'avais jamais prévu vois-tu c'est le profond désarroi dans lequel me jetterait la seule idée d'avoir à renoncer à ce que nous avions partagé toi et moi pendant ces années, ce bonheur tranquille auquel je tenais si fort, avec cette sérénité venant de ta promesse de ne jamais nous sentir obligés l'un envers l'autre. Ce qui lui donnait cette teinte de rare qualité, le faisait aussi vulnérable cependant, puisque s'inscrivait dans le filigrane sa précarité.

C'est moi qui rompt le charme, moi seule. Et pour qui, pourquoi ? Je ne suis sûre de rien sinon que je me dois d'aller au bout de ce qui m'emporte si je ne veux pas prendre le risque de regretter un jour de ne pas avoir essayé la passion dont je me croyais à l'abri, la sachant ravageuse.

C'est étrange, mais il me semble ne t'avoir jamais autant aimé qu'en ce moment où je vais te perdre. Peut-être parce que je sais que je vais perdre la meilleure idée de moi-même. Mais alors, c'est encore moi que j'aime si je redoute de diminuer à tes yeux ? Pourtant je voudrais en cela t'épargner la souffrance, mais je la sens croître en écrivant ces lignes. En m'atteignant par ricochet, elle me confirme, ô combien, "qu'il n'est de peine plus lourde à porter que celle qu'on fait et qu'on ne peut pas ne pas faire".

Mais trêve de littérature, les mots ne sont que des marionnettes qu'il faut ranger dans leur boîte sitôt fini de leur faire exprimer ce qu'on a pu.

Est-ce trop demander d'espérer un regard ami quand nous nous reverrons à mon retour de Paris ?

Tendrement.

Valérie

La demande de réconciliation

A la suite d'une dispute, vous écrivez à votre sœur et à votre beau-frère pour essayer de les amener à considérer plus calmement "l'affaire" qui vous divise. Vous leur expliquez gentiment la situation afin qu'ils ne voient pas un manque de confiance de votre part dans les précautions que vous souhaitez prendre.

M. et Mme Armand Barond　　　　　　　　　　Fayence, le 8 mars 19..
Propriété "Les Platanes"
83... Fayence

M. et Mme Émile Gastaud
Brasserie des Cigales
Avenue de la Gare
83... Draguignan

Chers tous,

La réaction d'Émile quand je t'avais au bout du fil tout à l'heure, ma chère Denise, m'ayant semblé manifester quelque humeur, je m'empresse de vous écrire pour vous dire combien nous serions désolés que vous preniez ombrage de notre refus de traiter en deux temps cette affaire qui nous arrange tous, prenant pour un manque de confiance de notre part ce qui n'est que précaution normale dans l'intérêt de chacun : nous sommes tous mortels et s'il arrivait quelque chose à l'un d'entre nous avant la signature des deux actes de vente, cela compliquerait singulièrement nos affaires...

Vous savez que juridiquement les échanges n'existent pas, c'est bien pourquoi le notaire, Me Brechet, nous a convoqués pour le même jour afin que le produit de la vente du terrain près de Callian que vous nous abandonnez, renonçant à construire,vous serve à acquérir la bâtisse à restaurer sise à la sortie du village, vers Mons, que nous vous cédons à notre tour pour acheter le terrain. Ce sont donc bien deux ventes suivies d'achats qui doivent se traiter en même temps.

Maintenant que tout est prêt à l'étude, il serait dommage de différer. Je comprends qu'il ait pu vous sembler plus urgent de réaliser cette affaire de la bergerie afin que Tony puisse entreprendre les démarches — puisqu'il s'est mis en tête de faire de l'élevage ! —, et aussi qu'Émile soit agacé à l'idée de quitter son établissement pendant presque toute une journée, en plein dans la période des fêtes de Pâques. Mais comme il n'y a pas le choix, autant accepter la date proposée. J'espère que vous en conviendrez et nous vous disons donc à bientôt.

En attendant votre confirmation, nous vous assurons, chers tous, de nos sentiments affectueux.

Gisèle et Armand

La lettre d'arrangement à l'amiable

Vous écrivez à votre frère pour essayer de le dissuader de vendre la maison de votre mère héritée de votre père. Après avoir invoqué la mémoire de votre père et ses dernières volontés, puis fait appel aux sentiments, vous lui proposez un autre arrangement financier.

M. Philippe Martineau   Toulouse, le 21 janvier 19..
26, allée Jean-Jaurès
31... Toulouse

                                                M. François Martineau
                                                42, av. P.-Corneille
                                                76... Rouen

Mon cher François,

Tu me vois navré de ta suggestion de vendre la maison de notre père, alléché par les propositions d'un promoteur comme tu sembles l'être. Construire un petit immeuble sur l'emplacement, après démolition de l'ancien bâtiment, n'est pas une mauvaise idée en soi ; mais comment faire comprendre à maman qu'elle devrait quitter l'endroit où elle a toujours vécu depuis son mariage et jusqu'à son veuvage encore récent ? Tu as, me dis-tu, des difficultés dans ton entreprise et serais désireux de disposer de la part qui te revient. Je sais que le papier que papa a laissé à maman à notre intention, disant sa volonté de lui laisser la maison jusqu'à la fin de sa vie, n'a pas valeur de testament olographe, puisque légalement le père ne peut défavoriser ses enfants en faveur de l'épouse qui n'hérite pas, alors même que tout est destiné à leur revenir par la suite. Il aurait fallu qu'il prenne d'autres dispositions pour qu'elle soit au moins usufruitière. Mais l'idée ne l'a certainement pas effleuré une seconde que nous songerions à user de nos droits s'il ne passait pas devant notaire pour préserver ceux de notre mère. C'est donc bien moralement que nous devons nous sentir liés par les dernières volontés de notre père mourant, et sans faire bon marché du chagrin que nous causerions à notre mère en passant outre.

Notre sœur cadette, bien mariée en Californie, se souciera peu de prendre parti, c'est donc à nous deux de décider de ce qu'il convient de faire. Pour ce qui est de moi, tout autre solution que le partage après vente me paraît préférable. Nul n'est tenu de rester dans l'indivision, et tu as besoin de fonds : je comprends que tu sois tenté, mais je te demande de ne rien presser avant d'avoir essayé de trouver une autre solution. Si j'avais les moyens de racheter ta part, Elisabeth ne réclamant pas la sienne avant l'heure, je le ferais sur-le-champ. Une hypothèque ne suffirait pas à renflouer ton affaire, mais pourquoi n'envisagerais-tu pas de faire un emprunt ? Je me porterais volontiers garant avec toi si besoin était et même nous pourrions trouver une formule pour supporter ensemble les intérêts afin de partager le préjudice subi en refusant de vendre.

C'est dans le but d'honorer la mémoire de notre père autant que celui d'assurer la tranquillité des dernières années de notre mère que je cherche une échappatoire, animé toutefois par les meilleurs sentiments à l'égard de tous ceux qui me sont chers, dont tu fais partie aussi depuis toujours. Mais avoue cependant que nous aurions bonne mine, toi et moi qui nous réclamons volontiers de militer en faveur des Droits de l'Homme, si nous faisions volontairement une telle peine à notre mère.

Je fais confiance à ta sagacité, persuadé que tu renonceras à ce projet de toi-même, sans qu'il soit nécessaire de faire appel aux idéaux les plus sacrés de cette vie pleine de tracas.

Je t'embrasse, mon cher François, bien affectueusement.

Philippe

* * *

La demande de prêt

M. Jean-Louis DEMAZIÈRES
Joaillier-Sertisseur

M. Armand GILARDI
Horloger-Bijoutier

Mon cher Armand,

Je suis un peu embarrassé d'être obligé de t'écrire au nom de notre amitié pour te demander une aide financière. Tu connais les raisons qui m'ont fait renoncer à exercer mon métier dans les règles de l'art et comment j'ai été amené à monter cet atelier de fabrication de bijouterie fantaisie. Je peux ainsi en effet me consacrer à la création sur le papier, laissant à mes assistants la réalisation effective des dessins, puisque je dois éviter de manipuler les métaux qui s'oxydent facilement.

J'aime ce travail pour son côté artistique mais pour des raisons comptables, je me trouve dans l'alternative, pour assurer un meilleur rendement, soit d'embaucher du personnel — ce que je voudrais éviter pour ne pas avoir à augmenter mes prix ou diminuer la marge bénéficiaire, soit de m'équiper avec un outillage plus moderne et plus performant. C'est pour cela que je manque un peu de fonds. Je me suis renseigné à propos d'un nantissement sur le fonds de commerce, mais outre les frais proprement dits, les intérêts étant retenus au départ, cela ne vaut plus la peine pour une somme donnée, de demander un prêt.

Fais-moi savoir si je peux compter sur toi et quand nous pourrions nous voir pour discuter des conditions et de combien tu pourrais disposer.

J'attends de tes nouvelles et t'envoie, mon cher Armand, ainsi qu'à toute ta famille, mes plus amicales salutations.

* * *

La demande de remboursement d'une somme prêtée

Armand GILARDI
Horloger-Bijoutier

M. Jean-Louis DEMAZIÈRES

Mon cher Jean-Louis,

Je suppose que tu es très occupé par la réorganisation de ta petite entreprise et je comprends que tu te passionnes pour ce que tu fais. Je ne me formaliserai donc pas si nous n'avons pas souvent de tes nouvelles depuis que tu nous avais envoyé ton catalogue. Cette nouvelle collection est une réussite dont je te félicite vivement et Marie-Claude avait vraiment apprécié le modèle que tu lui as offert, qu'elle porte encore, d'ailleurs. Son originalité le distingue de nos classiques bijoux.

Je suis heureux d'avoir pu contribuer au lancement de ton affaire, dans une certaine mesure, et je n'ai jamais douté de tes possibilités. Les résultats semblent des plus positifs et tu dois commencer à en récolter les fruits.

Comme je dois, moi aussi, rester réaliste, pour le bon équilibre de mes finances, j'espère que tu n'oublieras pas nos conventions et que tu vas prochainement commencer à rembourser comme prévu.

J'attends de tes nouvelles, vous souhaitant tous en parfaite santé. Marie-Claude se joint à moi pour t'adresser, mon cher Jean-Louis, ainsi qu'aux tiens, nos très amicales salutations.

* * *

La demande de restitution d'un objet prêté

M. Dominique HERNANDEZ　　　　　　　Argenteuil, le 26 mars 19..
6, rue Raspail
F - 95... Argenteuil

M. Alex GUILLAUMIN
9, rue d'Artois
75... Paris

Cher ami,

Je déplore que les circonstances et nos différentes occupations n'aient pas permis que nous continuions à nous rencontrer aussi souvent que par le passé. Je m'aperçois que les mois s'étant ajoutés aux mois, cela fait maintenant plus d'un an que je vous ai confié les deux cartes anciennes qui vous intéressaient parmi celles que j'ai le bonheur d'avoir en ma possession. Cela paraissait assez difficile et superflu de faire des photocopies. C'est seulement lorsque j'ai eu à mon tour besoin de les utiliser que je me suis aperçu qu'il manquait la Carte de la Coste Orientale d'Afrique *(publiée par ordre de Mgr le Comte de Maurepas en 1740) et la carte du Brésil tirée de* la Carte de l'Amérique *de M. Danville. Je me suis alors rappelé que vous aviez souhaité relever les noms portés par ces côtes exotiques autrefois, afin de les comparer à ceux de notre époque ; je pense que vous aurez eu largement le temps de le faire et que les ayant rangées, vous aurez aussi oublié de me faire signe.*

Voulez-vous m'envoyer un mot pour me dire quand je pourrais passer chez vous pour récupérer ces documents qui me font défaut en ce moment, ou me téléphoner même assez tard le soir : je serais heureux de vous entendre, n'ayant pas réussi à vous joindre moi-même. J'ai pourtant vérifié dans l'annuaire que votre adresse était bien toujours la même.

Transmettez mon bon souvenir à tous les vôtres et recevez vous-même, cher ami, mes très cordiales salutations.

La lettre d'excuses

Ma chère Suzanne,

Permettez-moi en toute sincérité de vous présenter mes excuses pour les réflexions qui m'ont échappées l'autre soir chez les X..., réflexions irréfléchies d'autant plus regrettables que j'étais à cent lieues de me douter que vous pourriez prendre pour vous ce que je disais, un peu étourdiment, je m'en rends compte à présent. Je vous assure que j'ignorais totalement la situation, et quand on m'a fait reproche de vous avoir sans doute blessée par des propos qu'on a dû prendre pour une plaisanterie de mauvais goût, j'étais atterrée. Mais je ne savais pas, et vous me voyez vraiment désolée de vous avoir peinée involontairement. J'espère que vous ne m'en voudrez pas trop et que vous pourrez me conserver votre amitié qui m'est précieuse.

Bien à vous,
Alice Maréchal

* * *

Cher Monsieur,

Je regrette d'avoir eu cette réaction un peu vive quand nous nous sommes croisés dans l'entrée de l'immeuble et que vous m'avez fait remarquer être excédé par les résonances provoquées par les nouveaux jouets à friction de mes petits garçons.

J'étais contrariée sur le moment, et déçue de constater que c'était quelqu'un qui avait aussi des enfants qui montrait si peu de compréhension et semblait avoir si vite oublié combien il est difficile de les tenir tranquilles quand ils sont petits, en vacances, et qu'il pleut à verse depuis trois jours.

Je m'en plaignais à mon mari qui m'a fait remarquer que les bruits conjugués de ces deux Jeeps, maniées avec ardeur à travers l'appartement, pouvaient effectivement devenir très vite insupportables. Nous allons donc veiller à réserver l'usage de ces petits engins à l'extérieur, afin que vous ne soyez plus dérangés. Je vous demande encore de ne pas m'en vouloir de ce mouvement d'humeur et, espérant que nos relations de bon voisinage n'en seront pas affectées, je vous prie de recevoir, cher Monsieur, mes meilleures salutations.

* * *

• APRÈS UN EMPRUNT

Ma chère Louise,

Ne m'en veuillez pas si j'ai gardé un peu plus longtemps que prévu les recettes de confiseries que vous m'aviez confiées. Figurez-vous que notre Annette est passée en coup de vent alors que je finissais de les recopier et sans attendre, elle a emporté votre carnet pour les noter aussi.

Elle vient de me le rapporter et je me propose de mettre le tout dans votre boîte, n'espérant pas vous trouver à cette heure-ci. Grâce à vous, nous allons faire quelques heureux de plus. Encore merci et mille excuses pour le petit retard.

Bien affectueusement,
Germaine

Madame Alicia Dumesnil
Institut de Beauté
"Émaux et Camées"

Désolée de n'avoir pu me libérer pour assister à l'inauguration de vos nouveaux salons, je tiens à vous remercier bien vivement de votre aimable invitation et tout en vous assurant de ma fidélité aux parfums et cosmétiques "Cyril Blanchard", je vous prie de bien vouloir accepter mes très sincères félicitations.

* * *

• RÉPONSE NÉGATIVE À UNE DEMANDE DE RECOMMANDATION

La lettre est adressée à un ami qui vous a demandé un emploi et vous ne pouvez pas lui être utile comme il l'avait espéré.

M. Raoul VERDET   Villeurbanne, le 19 novembre 19..
10, rue Michel-Servet
Villeurbanne 69…

                                        M. Justin TRIMONET
                                        9, rue du Chanoine-Mourot
                                        25… Besançon

Cher Ami,

Vous avez bien fait de faire appel à moi au nom des souvenirs que nous conservons d'une jeunesse insouciante et heureuse dans notre petite ville. Les temps hélas ont bien changé et je déplore que la conjoncture puisse amener quelqu'un de votre valeur, qui a fait ses preuves, à chercher à se reconvertir. Croyez que s'il était en mon pouvoir de vous octroyer un poste dans le secteur que je dirige, je le ferais sur-le-champ. Malheureusement, malgré les responsabilités de ma position, je suis quand même astreint à me plier aux impératifs de la profession : connaissant bien les rouages de la maison et le soin jaloux apporté à leur fonction par ceux qui sont placés à la tête du service d'embauche du personnel, je ne peux même pas vous engager à poser votre candidature, sachant que vous iriez au-devant d'un échec que je préfère vous épargner : vos diplômes et qualifications en effet, ne correspondent pas du tout à la demande de notre branche.

En revanche, je vous encourage vivement, et je suis prêt à vous appuyer de ma recommandation le cas échéant, à postuler auprès d'entreprises médianes moins éloignées de votre spécialité, qui seraient heureuses de profiter de votre expérience. Nous pourrions peut-être voir cela ensemble si vous vous décidez à faire le déplacement, ou bien préférez-vous que je vous fournisse déjà quelques adresses ?

Je me tiens à votre disposition pour toute l'action et les renseignements que mon engagement dans les affaires et le fait que je travaille depuis des années dans une région en pleine expansion, pourraient vous apporter, afin de vous aider à sortir d'une situation indigne de vous, et qui ne saurait se prolonger sans dommage, je le conçois sans peine. Recommencer à se battre à notre âge c'est décevant, mais cela fait partie des paradoxes de notre époque ! Toutefois, il faut persévérer, en restant réaliste, et surtout ne pas se décourager si les résultats ne sont pas immédiats.

Vous savez que mon appui vous est acquis sans réserve et j'ai tenu à vous en assurer dès réception de votre lettre. J'attends de vos nouvelles et vous prie de croire, cher ami, à mes sentiments sincères. N'oubliez pas de transmettre mon meilleur souvenir à votre famille.

* * *

La demande de recommandation

Madame Veuve Blanche ROBINI
43, allée de la Figuière
Mouans-Sartoux 06…

Maître Jacques BENARDO
Ancien bâtonnier du Barreau de Marseille
Sénateur-Maire de Châteauneuf-les-Mimosas
Propriété "Terrasses Fleuries"
Route de Valbonne

Cher Maître,

J'ose espérer que vous ne me tiendrez pas rigueur d'avoir un peu forcé votre porte, profitant de votre séjour aux Terrasses pour me permettre de vous envoyer mon plus jeune fils, porteur de la présente, que vous avez bien voulu accepter de recevoir au nom de l'amitié qui nous liait, votre défunte mère et moi-même. Il connaît les excellentes relations que vous entretenez avec M. Bastien Raimondi, Directeur de l'Opéra, et serait désireux d'obtenir de votre main une recommandation.

Fabrice, en effet, qui est flûtiste et donne des leçons de musique, n'a pas renoncé à faire une carrière de chanteur lyrique, ce qui correspond le mieux à son don et sa prédilection. Il n'a jusqu'à présent pu se produire qu'occasionnellement pour des remplacements, notamment sur la scène de Bordeaux, l'hiver dernier pendant les fêtes de Noël. Son ambition se limitant pour le moment à l'emploi de choriste, si vous acceptiez de l'introduire à cette fin auprès de votre ami, en vue d'obtenir si possible un engagement pour la saison prochaine, nous vous en serions particulièrement reconnaissants.

D'avance je vous remercie de votre précieux concours et vous prie d'agréer, cher Maître, l'assurance de ma considération très distinguée.

* * *

Didier GÉRARDO   Lyon, le …
4, rue de la Victoire
Lyon

M. Raphaël POITEVIN
Géomètre-Expert
17, rue de la Part-Dieu
Lyon

Raphaël,

Je ne voudrais pas que tu penses que j'essaie de te forcer la main parce qu'il se trouve que tu es le beau-frère de la meilleure amie de ma sœur et que nous sommes de la même corporation. Il y a un certain temps que nous ne nous sommes pas rencontrés mais je sais par Josiane que tout en étant bien affermi sur la place, il ne te serait pas possible de m'embaucher présentement, toi-même.

Seulement je suis un peu découragé depuis que j'ai passé mon C.A.P. d'opérateur-géomètre, conjointement à des stages de formation, parce que je n'arrive pas à trouver un emploi stable, parce que dégagé des obligations militaires, partout où je me suis présenté on m'a demandé une expérience professionnelle de plusieurs années - ce que bien entendu je n'ai pas -, et je commence à me demander comment je pourrais la faire. Alors j'ai pensé, si ce n'est trop te demander, que si tu pouvais me faire une lettre d'introduction pour M. BRIDAULT, le Président des Experts-Géomètres, il pourrait peut-être m'indiquer un cabinet susceptible de me prendre à l'essai sur sa recommandation. Qu'en penses-tu ? C'est ma dernière tentative avant d'être obligé de chercher ailleurs et je te serais vraiment reconnaissant de me donner cette chance.

Je t'en remercie vivement à l'avance et t'adresse, cher Raphaël, mes sentiments les meilleurs.

* * *

Raphaël POITEVIN
Géomètre
17, rue de la Part-Dieu
Lyon

Lyon, le…

M. Étienne BRIDAULT
Géomètre-Expert
173, avenue Thiers
Lyon

Cher Monsieur,

Encouragé par la complaisance dont vous avez toujours fait preuve à mon égard depuis que je me suis mis à mon compte, je me permets aujourd'hui d'attirer votre bienveillante attention sur le cas d'un jeune ami, que je connais bien ainsi que sa famille.

Il m'a quelquefois accompagné sur le terrain pendant qu'il préparait son C.A.P. d'opérateur-géomètre et j'ai pu apprécier sa bonne volonté et ses excellentes dispositions pour ce métier. Maintenant en possession de son diplôme et ayant effectué quelques stages, il aurait besoin d'une place stable. Par suite de vos contacts avec les responsables de nombreux cabinets de la région, vous seriez peut-être en mesure de lui indiquer ceux où il aurait le plus de chances de trouver un emploi. Didier GÉRARDO, c'est son nom, accepterait bien entendu d'être pris à l'essai, sachant qu'il a besoin de faire ses preuves avant d'être agréé pour un poste régulier.

Dans l'espoir que vous voudrez bien lui accorder le meilleur des appuis, je vous remercie encore de vos conseils et de votre compréhension, vous assurant, cher Monsieur, de mes très respectueuses salutations.

La lettre de recommandation

Étienne BRIDAULT
Géomètre-Expert auprès des Tribunaux
173, avenue Thiers
Lyon

Lyon, le…

Cabinet LEROUX P. et BRODERY G.
Géomètres-Associés
Lyon-Écully

Chers Confrères et Amis,

Je vous envoie un jeune homme qui m'a été chaudement recommandé. Il s'appelle GÉRARDO Didier, opérateur-géomètre, diplômé assez récent, stagiaire occasionnel, il aurait besoin d'un bon encadrement pour parfaire son expérience professionnelle et je pense qu'il trouverait chez vous les meilleures conditions à cet effet puisque vous travaillez en étroite collaboration avec les services du cadastre aussi bien qu'avec les particuliers.

Je sais qu'avec l'ouverture de vos nouveaux bureaux à Écully, vous allez avoir besoin de former des équipes supplémentaires et je vous serais très obligé si vous acceptiez de donner une chance à ce jeune homme digne du meilleur intérêt.

Espérant qu'il saura vous donner toutes satisfactions, si toutefois vous jugez bon de répondre favorablement à cette proposition, je vous prie d'agréer, chers Confrères et Amis, l'expression de mes sentiments les meilleurs.

La lettre de remerciements

Cher Monsieur Émile,

Ce n'est pas sans un peu de tristesse que nous saluons votre départ pour une retraite bien méritée. Vous allez bien nous manquer. Nous étions tous habitués à vous trouver toujours prêt à rendre service aux uns et aux autres avec tellement de complaisance et de gentillesse, ayant toujours la bonne solution à proposer et nous faisant l'effet de savoir tout faire.

Vous voudrez bien accepter ce petit cadeau en témoignage de notre affection à tous.

Le Personnel du Grand Hôtel de la Plage

* * *

Association
"Les Amis des Oiseaux"

Très touchés par toutes les marques de sympathie que vous nous avez montrées à l'occasion de nos noces d'or et trop émus pour exprimer de vive voix le plaisir causé par votre gentil cadeau, nous vous adressons à tous nos très sincères remerciements.

* * *

- Après un cadeau

La lettre d'Amérique
à l'amie de Mamie en France

Chère Madame Bermond,

Cela m'a fait un très grand plaisir de faire votre connaissance la semaine dernière chez Mamie.

Je voulais aussi vous remercier de votre gentil cadeau. Après le départ de tout le monde, nous avons trouvé ce très joli livre, et il m'a tout de suite plu. Cela fait quelque temps déjà que maman cherche les paroles complètes de chansons qu'elle veut me chanter. C'est un cadeau très perspicace.

Merci encore.

Grosses bises,
Sarah Larsen
18 mois

* * *

- Après une invitation

Mon cher et estimé confrère,

Ces quelques lignes pour vous remercier de l'invitation à laquelle je me suis rendu avec plaisir : ce vernissage des œuvres de votre neveu, réception des plus réussies, fut pour moi un moment privilégié distrait de l'engrenage qui m'enchaîne à l'hôpital et que vous connaissez bien. Trop court à mon gré, c'est la raison qui m'a fait plus utiliser mon temps à m'intéresser aux toiles, qu'à essayer de me rapprocher de vous, que j'ai seulement aperçu de loin parmi la foule des invités, si bien que je n'ai pas eu l'occasion de vous saluer, ni surtout celle de présenter à vous et au jeune artiste mes sincères félicitations, que vous voudrez bien trouver ici.

Très cordialement.

* * *

- À un médecin

Marie Blanchard
7, rue Jean-Baptiste-Bulot
03… Vichy

Vichy, le 11 mars 19..

Docteur Boissonnier
Centre de Relaxation et Kinésithérapie
du Parc Borély
Marseille

Ces quelques lignes pour vous remercier des soins qui m'ont été prodigués à la suite de mon accident. Je n'oublie pas les attentions dont j'ai été entourée : elles m'ont aidée à surmonter les effets du choc ainsi qu'à récupérer l'entière fonction de mes membres blessés.

Je suis maintenant en convalescence et même plutôt en vacances chez mes enfants et j'ai tenu à vous exprimer ma reconnaissance et vous assurer de mon meilleur souvenir.

Bien sincèrement vôtre.

Didier GÉRARDO
4, rue de la Victoire
Lyon

Lyon, le…

M. Raphaël POITEVIN
Géomètre-Expert
17, rue de la Part-Dieu
Lyon

Cher Raphaël,

Je tiens vraiment à te remercier très chaleureusement de m'avoir introduit auprès de M. Bridault et j'espère bientôt avoir l'occasion de le faire de vive voix. J'ai voulu sans attendre te faire part de ma joie. L'intervention de M. Bridault auprès de MM. Leroux et Brodery a en effet été des plus décisives : je commence dès lundi prochain.

Je n'avais pas perdu de temps, tu t'en doutes bien, sitôt ma recommandation en poche, pour me présenter au cabinet Leroux-Brodery, mais je n'osais tout de même pas espérer que tout irait si vite.

Je crois que grâce à ton appui et à l'heureuse influence de M. Bridault, j'ai pu frapper à la bonne porte au bon moment. Je ne sais vraiment comment t'exprimer ma reconnaissance et je compte un peu sur toi pour me dire ce que je peux faire pour témoigner ma gratitude à M. Bridault.

Je puis déjà t'assurer que je ferai tout mon possible pour ne pas décevoir mes employeurs.

Je passerai très bientôt te donner mes premières impressions et en attendant, je t'envoie, cher Raphaël, mes plus cordiales salutations.

III

LA LETTRE IMPERSONNELLE

La correspondance "d'affaires" : de particulier à particulier ; de particulier à des organismes (lettres adressées à des artisans, à des entreprises, à des organismes administratifs, commerciaux, juridiques, officiels, professionnels, etc.).

Introduction

Les administrations et les entreprises chargent leurs secrétaires de la rédaction de ce type de lettres dites "impersonnelles" ou "d'affaires" : ces dernières utilisent un schéma normalisé de présentation très strict que nous vous proposons pour information.

Toutefois ce Guide, qui s'adresse à des particuliers, ne saurait en rien se substituer à un cours de correspondance commerciale destiné à des professionnelles : il se contente de donner quelques directives de présentation et de rédaction, avec études de cas, exemples de lettres-types et formules adaptées, *dans le cadre de la lettre impersonnelle écrite à titre privé.* Bien qu'elles soient adressées à des administrations ou à des entreprises, ces lettres conçues, présentées et rédigées par des particuliers ne sont pas censées respecter des règles normalisées aussi rigides que celles qui sont réalisées par des secrétaires professionnelles.

C'est pourquoi, dans un souci de simplification et de clarté, nous vous présentons des types de présentation et de cadrages plus variés et plus souples qui respectent les lignes générales en vigueur pour cette catégorie de lettres.

Ces principes sont dégagés dans la première partie de ce guide.

RÉCLAMATIONS / SUPPLIQUES

Lettres de caractère litigieux

Nombreuses sont les occasions de manifester son mécontentement (entrepreneurs peu soigneux, voire "indélicats", fournisseurs inexacts, colis endommagés ou livraisons non conformes à votre attente, traites non payées, etc.). Ces lettres sont adressées à des artisans, des entreprises, des organismes administratifs, commerciaux, juridiques, professionnels, officiels, etc.

Il importe de s'assurer du bien-fondé de sa réclamation après avoir procédé à des recherches d'information et à des vérifications avant de prendre la plume pour manifester son mécontentement. Peut-être y a-t-il un doute quant à la responsabilité du malentendu, ou peut-être même avez-vous tort... et il vous faudra passer du ton et du style de la lettre de RÉCLAMATION à ceux de la lettre d'EXCUSE, voire de la SUPPLIQUE.

De la même façon qu'il faut, dit-on, tourner sa langue sept fois dans sa bouche avant de parler, il faut réfléchir avant d'agir : ÉCRIRE EST UN ACTE, aux deux sens du terme. soyez circonspect et analysez bien la situation (cf. Conseils généraux, III) afin de choisir la tonalité et le style appropriés (cf. Conseils généraux, IV). Vos intérêts sont en jeu, faites preuve d'un minimum de psychologie et de tenue : respectez les usages et observez les conseils de modération et de prudence.

Dans tous les cas, éviter à tout prix le ton arrogant, les fanfaronnades qui ne sont qu'aveu de position faible, autant qu'obséquiosité et lamentations.

Précautions générales :
— Faire des doubles.
— Conserver des documents postaux, bancaires ou autres.
— Préciser dates et références.

La présentation

La lettre sera bien sûr dactylographiée sur papier-machine blanc de bonne qualité et les marges respectées (au minimum 2,5 cm à gauche et 2 cm à droite).

• CADRAGE DES OBJECTIFS

Fournisseurs, organismes sociaux, fiscaux, compagnies d'assurance, affaires de famille, etc.

1er cas :s'assurer du bien-fondé de la réclamation (après avoir procédé à des recherches d'information et à des vérifications).
— Celui-ci étant confirmé, formuler la dite réclamation avec netteté, fermeté — mais non agressivité — tout en suggérant les suites possibles qui ne manqueraient pas d'être désavantageuses pour l'adversaire en cas de litige aggravé.

2e cas : il y a doute quant à la responsabilité du malentendu :
— soit que l'affaire, déjà ancienne, ne soit plus très claire à la mémoire dans ses détails,
— soit que l'on ait négligé de garder des éléments de référence, ou qu'il y ait eu un problème de distribution, etc.
— ou bien encore s'il s'agit de dénouer une situation mettant en jeu une tierce personne éventuellement défunte, absente ou éloignée (successions, litiges avec sociétés en liquidations, représentations légales, etc.).
Se montrer ouvert à toutes éventualités et propositions de recherches associées, en acceptant à l'avance le renoncement à toute réclamation de droits si la preuve pouvait être apportée que leur prétention ne serait pas justifiée.

3e cas : le demandeur sait qu'il a tort :
— avant tout, assurer de sa bonne foi et montrer de la confusion et de la bonne volonté,

— se montrer prêt à réparer malgré les difficultés que cela peut présenter dans la situation présente (s'il s'agit par exemple de sommes importantes à régler par suite de négligence ou ignorance),

— espérer cependant la possibilité d'arrangements ou dégrèvements :

a) jamais au-delà des limites légales si l'on s'adresse à un préposé obligé de s'en tenir à un règlement mais qui sera peut-être disposé à faire profiter de pouvoirs plus étendus que ce qu'on pouvait supposer,

b) au maximum, s'il s'agit de commerce ou d'affaires privées, le jeu social étant toujours de demander le plus pour obtenir le moins, sachant que l'adversaire aura toujours quelque chose à préserver, même si ce n'est pas apparent.

Dans tous les cas éviter à tout prix le ton arrogant, les fanfaronnades (aveu de position faible) autant qu'obséquiosité et lamentations.

• PRÉSENTATION ET COMPOSANTES

• Voici un *exemple-type de présentation simplifiée pour une lettre de RÉCLAMATION :*
La directrice d'un petit institut de beauté rédige sa lettre elle-même sur papier à en-tête portant le nom de sa maison, en essayant de respecter les principales normes de présentation utilisées par les professionnelles du secrétariat, pour signaler à un fournisseur l'insuffisance de son système d'emballage. Elle demande le remplacement des pièces détériorées ou, à défaut, un dédommagement et, compte tenu du préjudice subi par ce retard, de bénéficier de conditions avantageuses.

(1 bis)   (1) INSTITUT ROSE MELROSE   (3)
                            17, rue des Mimosas
                            83... BRIGNOLES
                            Tél. .. ..

(2 ter)   (2) PARFUMERIE MOULINSARD
                                            160, allée Fleurie
                                            06... GRASSE

(4) Réf. n°...   (3 bis) Grasse, le 1er avril 19..
    Objet : votre livraison du 29 mars
    P.J. : détail des pièces   (2 bis)
    détériorées facture n°

(5)   *Monsieur,*

(6a) *J'ai le regret de vous faire savoir que, contrairement à l'habitude, je ne suis pas satisfaite de votre dernière livraison.*

(6b) *En effet, à la réception des trois caisses que vous avez expédiées le 29 mars, j'ai dû constater que l'emballage était très insuffisant de sorte que six flacons s'étaient brisés.*

(6c) *Vous voudrez bien, en conséquence, effectuer le plus rapidement possible le remplacement des pièces détériorées ou me dédommager. Veuillez avoir l'obligeance de me confier votre accord sur ce point.*

(6d) *De toute évidence, vous n'aviez pas pris les précautions nécessaires pour éviter un incident de parcours et nous vous prions à l'avenir d'apporter un soin tout particulier à vos emballages. Compte tenu du préjudice subi du fait de retard de livraison, je vous demande donc de me faire bénéficier de conditions avantageuses.*

(7) *Veuillez agréer, Monsieur, l'expression de mes salutations distinguées.*

(8)*Christiane de MÉRIDOR*

Détail de la lettre de réclamation de Mme C. de Méridor de l'Institut Rose Melrose :

(1) L'en-tête : dans la marge, en haut à gauche (ou au milieu) si vous possédez un papier à lettre avec en-tête imprimé. A défaut, vous placerez vos coordonnées hors marge, tout en haut à gauche (1 bis).

(2) Les références du destinataire : plus bas au-dessous de l'en-tête si celui-ci est placé au milieu ; plus couramment plus bas à droite, bien au-dessous de la date ; ou à gauche, entre l'en-tête et la formule d'appel (2 bis/2 ter).

(3) Le lieu et la date : à ne pas oublier, en haut à droite (3 bis).

(4) Références (numéro à préciser s'il y a lieu, objet de la lettre à présenter brièvement et clairement), pièces jointes, annexes : à gauche, au-dessus de la formule d'appel.

(5) Formule d'appel.

(6) Corps de la lettre : essayer de respecter la règle essentielle, " l'expression d'une idée par paragraphe".

(6a) Nature de la lettre : réclamation.

(6b) Précision du problème.

(6c) Nature de l'exigence : réparation (dédommagement, remplacement, excuses, etc.).

(6d) Éventuellement : demande de précautions supplémentaires pour l'avenir (semonce); demande du bénéfice de conditions avantageuses (remise) compte tenu du préjudice subi; menaces de poursuites par voie de droit en cas de litige aggravé, si vous n'obteniez pas satisfaction (en dernier recours).

(7) Formule de politesse;

(8) Signature manuscrite sous la mention dactylographiée de votre nom.

* * *

Lettre adressée à un fournisseur qui n'a pas tenu ses engagements

• PRÉSENTATION ET COMPOSANTES DE CE TYPE DE LETTRE :

Nombreuses sont les occasions de manifester son mécontentement (entrepreneurs peu soigneux, artisans ou fournisseurs inexacts, etc.). Évitez toutefois de régler par lettre les problèmes de voisinages (nuisances de toutes sortes : bruit, inondation, parfum de mauvaise qualité laissé par la dame dans l'ascenseur, etc.) et modérez vos propos. Voici un "exemple-type" de présentation simplifiée pour une lettre de caractère privé :

Madame Grandet, particulier, rédige et tape elle-même sa lettre de réclamation sur simple papier machine : elle l'adresse à un fournisseur qui n'a pas tenu ses engagements. Elle est ce qu'on appelle "une bonne cliente" : c'est le ton et le style de la lettre d'un supérieur à un inférieur.

(1). Mme Jacqueline Grandet
Villa "Les Glycines"
La Darse
06... Villefranche-sur-Mer

(2). Villefranche, le 18 avril 19..

(3). CEMENELUM ANTIQUITÉS
164, bd de Cimiez
06... Nice

(4). *Madame,*

(5). *Vous m'aviez promis cette commode pour la fin du mois de mars. Or nous sommes aujourd'hui le 18 avril et je me trouve fort contrariée de ne pas l'avoir encore reçue. Je compte l'offrir à ma fille qui se marie le 29 avril.*

(6). *Vous n'auriez pas dû prendre un engagement que vous n'étiez pas sûre de pouvoir tenir. Il m'est d'autant plus pénible de vous faire cette observation que j'étais habituée à votre exactitude.*

(7). *Veuillez me livrer cette commode dès demain matin, sans faute. J'y compte absolument.*

(8). *Recevez, Madame, mes salutations.*

(9). *J. GRANDET*

1. En-tête.
2. Le lieu et la date.
3. Coordonnées du destinataire.
4. Formule d'appel.
5. Premier paragraphe : objet de la réclamation.
6. Deuxième paragraphe : semonce.
7. Troisième paragraphe : exigence.
8. Formule de politesse.
9. Signature manuscrite.

Ces lettres peuvent être manuscrites ou tapées à la machine.

• CADRAGE DES OBJECTIFS ET MÉTHODES DE COMPOSITION

Madame Grandet, sûre du bien-fondé de sa réclamation, manifeste son mécontentement en exprimant l'objet de sa réclamation sans toutefois perdre de vue le but recherché.

Dans le 1ᵉʳ paragraphe : elle expose directement le problème : PROMESSE DE LIVRAISON NON TENUE (faute pour un commerçant sérieux qui tient à conserver sa clientèle); problème aggravé par la mise en cause d'une tierce personne et la nécessité de tenir ses engagements auprès d'elle.

Dans le second paragraphe : semonce atténuée par le rappel des bonnes relations entretenues jusqu'alors ; finesse de ce rappel : la principale qualité du fournisseur était l'EXACTITUDE et elle est ce qu'on appelle une "bonne cliente" (l'antiquaire tient certainement à la garder).

Dans le troisième paragraphe : expression impérieuse de l'exigence.

Le motif :

Insistance sur le motif de la réclamation : RETARD (importance des précisions temporelles : *"Pour la fin du mois de mars", "Or, nous sommes aujourd'hui le 18 avril", "de ne pas l'avoir encore reçue", "qui se marie le 29 avril", "votre exactitude", "dès demain matin, sans faute"*).

Le ton et le style :

Le ton est sans réplique : dominateur, sec et impérieux.

— Brièveté des formules de politesse (formules d'appel et d'adieu) réduites à leurs plus brève expression.

— Sécheresse du *"vous"*, agressif en début de lettre et de paragraphe, voire accusateur.

— C'est un ordre, voire un ultimatum : utilisation des impératifs *("Veuillez", "Recevez")* et précision des exigences répétées *("dès demain matin, sans faute. J'y compte absolument")*.

Situation du destinataire dans la hiérarchie sociale :

C'est la lettre d'un supérieur à un inférieur : Madame Grandet, personne d'un certain âge et d'un certain rang, sait qu'elle n'a rien à perdre et qu'elle va obtenir satisfaction. Les atouts qu'elle possède dans le jeu social sont connus du commerçant : c'est "une bonne cliente" et elle a des relations. La MENACE perce en filigrane : le commerçant risque de perdre sa cliente et du même coup, avec sa réputation, une partie de sa clientèle. Apprécions la concision de son style, son art de piquer et de ménager à la fois l'amour-propre du commerçant (semonce adoucie par le rappel des qualités antérieures) sans l'offenser gravement.

But recherché :

Cadrage des objectifs : le ton et le style de la lettre sont adaptées au genre de la lettre (réclamation), à la position de l'auteur de la lettre (lettre d'un supérieur à un inférieur) et à la situation (but recherché : obtenir satisfaction). Madame Grandet possède parfaitement son sujet et se donne les moyens de parvenir à ses fins :

Amener le commerçant à :
- reconnaître ses torts,
- à présenter des excuses (pour "rentrer en grâce"),
- à s'exécuter sans retard.

Prudence :

Il s'agit là d'une lettre de "grande dame", et de commerce de luxe (voire de la lettre d'un autre âge). Ce modèle de lettre est difficilement utilisable aujourd'hui dans les situations de la vie courante : si vous adressez une missive de ce genre à un commerçant débordé et peu soucieux des problèmes de hiérarchie, vous risquez d'obtenir l'effet inverse. Donc prennez des précautions.

Évitez à tout prix le ton arrogant, les fanfaronnades qui ne sont qu'aveu de position faible, autant qu'obséquiosité et lamentations.

Se reporter aux normes de présentation, études de cas et conseils de modération de la troisième section de ce Guide : La lettre impersonnelle : réclamations-suppliques.

• 1ᴱᴿ CAS : VOUS ÊTES INFORMÉ DU BIEN-FONDÉ DE LA RÉCLAMATION

Vous formulez la dite réclamation avec netteté, fermeté — mais sans agressivité — tout en suggérant les suites susceptibles de vous donner satisfaction.

Lettre adressée à un fournisseur pour lui signaler qu'une pièce manque dans le colis que vous avez reçu. Demande d'expédition de la pièce manquante, ou de remboursement.

Mme Germaine BARONCELLI   Aix, le 14 mars 19..
56, allée des Roses
13… Aix-en-Provence

                                          CRÉATIONS du "BOIS JOLI"
                                          Service des Ventes
                                          13… Marseille

Monsieur le Directeur du Service des Ventes,

A la réception de la table roulante, modèle n° 236, que je vous avais commandée fin février, et qui m'est parvenue contre-remboursement, je me suis rendue compte qu'il manquait dans le colis une pièce indispensable au montage. Il faut donc m'envoyer de toute urgence l'élément manquant qui porte sur la notice explicative le n° G12.

Très contrariée par ce contretemps — je comptais absolument sur cette table pour les fêtes de Pâques —, je suis obligée de vous signaler que si je ne recevais pas cette pièce dans les meilleurs délais, je vous retournerais l'ensemble de la livraison, persuadée que vous ne feriez aucune difficulté pour me rembourser, la responsabilité du préjudice subi vous incombant entièrement. Je devrais alors en effet me fournir rapidement sur place.

J'espère encore recevoir à temps ce qui me permettra de disposer d'un objet qui me convenait parfaitement et pouvoir conserver toute ma confiance à votre maison dont je suis une cliente fidèle.

Recevez, Monsieur le Directeur du Service des Ventes, l'expression de mes distinguées salutations.

                                                    G. BARONCELLI

• 1ER CAS : VOUS VOUS ÊTES INFORMÉ DU BIEN-FONDÉ DE LA RÉCLAMATION

Après avoir procédé à des recherches d'information et à des vérifications, vous formulez la dite réclamation avec netteté, fermeté — mais non agressivité — tout en suggérant les suites possibles qui ne manqueraient pas d'être désavantageuses pour l'adversaire en cas de litige aggravé.

Lettre adressée à un organisme pour rectifier une erreur (rappel de facture avec menace de recouvrement par voie de droit alors que l'article a été retourné) ; menace de procédure si persistance de la réclamation.

Madame Pierrette Sanzot   Avignon, le 5 avril 19..
18, rue Paul-Bert
84... Avignon

                                           SOCIÉTÉ DURANTON
                                           17, avenue Villermont
                                           69... Lyon

Messieurs,

Je suis très étonnée de continuer à recevoir des rappels de facture (le dernier en date du... avec menaces de recouvrement par voie de droit) concernant un envoi que je vous ai retourné aussitôt pour non-conformité avec les offres du catalogue qui m'avaient décidée à passer commande dès le... J'ai effectué la réexpédition en recommandé le... (récépissé de la Poste faisant foi).

Je vous serais donc très obligée de faire le nécessaire auprès de vos services comptables afin de rectifier cette erreur.

Espérant que vous mettrez tous vos soins à nous épargner à tous les désagréments d'une procédure qui ne pourrait que nuire au bon renom de votre firme et dans l'optique de futures relations plus satisfaisantes, je compte sur votre diligence et vous prie d'agréer, Messieurs, l'expression de mes distinguées salutations.

                                           P. SANZOT

P.J. (2) :   *— Double du bon de commande (?)*
                     — Récépissé de réexpédition (photocopie).

* * *

Lettre adressée à un fournisseur qui n'a pas respecté ses engagements. Demande d'indemnité pour retard de livraison et menace de poursuites si le demandeur n'obtient pas satisfaction.

M. Yves Gautier
12, rue La Boétie
24... Sarlat-la-Caneda

Sarlat, le 14 mai 19..

Établissements LAVARRON
85, rue Edmond-Rostand
16... Cognac

Objet : *ma commande du...*
P.J. : — *le double de cette commande et de la lettre de rappel,*
 — *le double de votre lettre et de votre facture du...*

Monsieur,

Voilà plus d'un mois que j'attends cette livraison de... dont j'ai un besoin urgent et je m'étonne de ne pas l'avoir encore reçue alors que je vous ai déjà adressé une lettre de rappel le...

Vous n'auriez pas dû prendre un engagement que vous n'étiez pas sûr de pouvoir tenir. Il m'est d'autant plus pénible de vous faire cette observation que j'étais habitué à votre exactitude.

Très contrarié par ce contretemps, je suis obligé de vous signaler que si je ne recevais pas cette commande dans les plus brefs délais et une indemnité de... compte tenu du préjudice subi à cause de ce retard qui m'a déjà fait perdre le bénéfice de nombreuses ventes, je me verrais dans l'obligation d'en venir à des poursuites par voie de droit.

Espérant que vous mettrez tous vos soins à nous épargner à tous les désagréments d'une procédure qui ne pourrait que nuire au bon renom de votre exploitation, je compte sur votre diligence et vous prie d'agréer, Monsieur, l'expression de nos salutations distinguées.

M. Yves GAUTIER

* * *

Vous écrivez au syndic pour lui signaler les dégâts causés chez vous par une inondation à l'étage supérieur. Vous lui envoyez par le même courrier le constat établi pas l'huissier et lui demandez de faire le nécessaire auprès des compagnies d'assurance afin que les travaux de réparation qui s'imposent puissent être entrepris rapidement.

Le Cannet, le 3 septembre 19..

M. GERMAIN Rémy
Résidence "Azur-France", bât. C
36, bd Carnot
Le Cannet (A.-M.)

Objet : *inondation*
Réf. :   *bât C*
                Appt n° 3

M. LEMINOIS André
Syndic de la co-propriété
Agence Midi-Provence
14, quai Saint-Pierre
06… Cannes

Monsieur,

A notre retour de vacances, nous avons eu la désagréable surprise de trouver inondés le plafond de notre salle de bain et, en partie, celui d'une chambre attenante, tapissé comme le reste de la pièce : ce qui est bien ennuyeux puisque cette dernière doit être refaite entièrement.

Les dégâts ont dû se produire avant le départ des voisins du dessus (au 4e étage, appt 5) : M. et Mme GRISONI, qui sont encore absents.

N'ayant pu vous joindre par téléphone, nous avons immédiatement fait venir un huissier qui a établi un constat dont vous trouverez ci-joint un exemplaire.

J'attends votre réponse pour savoir comment procéder afin que les travaux de réparation qui s'imposent soient entrepris aussitôt après que les compagnies d'assurance alertées par vos soins auront envoyé leurs experts.

Dans l'espoir d'obtenir réparation dans les meilleurs délais, je compte sur votre diligence à faire le nécessaire, et vous prie d'agréer, Monsieur, l'expression de mes très sincères salutations.

M. R. GERMAIN
(Signature)

P.J. : *le constat d'huissier dressé le 2 septembre par M. Hervé BALLARD, 47, rue d'Antibes, Cannes 06…*

* * *

Vous écrivez au syndic pour lui signaler un problème et expliquer les mesures que vous avez cru bon de prendre en son absence. Vous lui demandez de veiller à ce que l'incident ne se reproduise plus afin que soient dégagées sa responsabilité et la vôtre.

Madame Edwige BÉRENGER
Verrières, le 21 mars 19..
18, av. Bellevue
91... Verrières-le-Buisson

> Monsieur Julien CARLES, syndic
> 21, rue Stendhal
> 91... Verrières

Cher Monsieur,

J'ai laissé un message à votre secrétaire ce matin pour signaler à votre intention qu'ayant découvert, tôt après notre réveil, une pellicule noirâtre tout le long du corridor qui longe le mur maître mitoyen de l'immeuble voisin, nous nous sommes effrayés, songeant à des infiltrations d'oxyde de carbone pouvant provenir de l'étage au-dessous, les locataires possédant un gros poêle à mazout.

Comme vous le savez, l'immeuble est assez vétuste, nous avons de jeunes enfants et même de petits animaux : mon mari a donc pris l'initiative, en votre absence, d'alerter immédiatement les services d'hygiène de la ville qui sont venus aussitôt. Ils ont constaté que ces émanations provenaient de l'auberge en cours d'installation au pied de l'immeuble où l'on avait testé la veille les conduits de cheminée en vue de grillades au feu de bois.

Toute garantie nous a été donnée que des spécialistes s'occupent de pallier ces inconvénients afin qu'ils ne se reproduisent pas, mais je vous serais obligée de veiller par vous-même à ce que le nécessaire soit fait pour que soient dégagées votre responsabilité en cas d'accident, ainsi que la nôtre. Nous avons nous-mêmes — au 3e étage, le dernier pourtant, sous les combles — fait condamner toutes les jolies cheminées anciennes et installer le chauffage à l'électricité.

Veuillez agréer, cher Monsieur, avec nos remerciements anticipés, l'expression de nos meilleurs salutations.

> *Madame E. BÉRENGER*
> (Signature)

Lettre courtoise pour signaler que vous n'avez pas reçu l'un des numéros d'une revue à laquelle vous êtes abonné. Vous demandez des explications mais envisagez le cas d'un problème de distribution.

Monsieur Christian Mauricourt   Nancy, le 26 novembre 19..
13, rue de la Liberté
54... Nancy (M.-et-M.)

C.D.P.I.
Centre de Diffusion et Programmation
154, bd François-Grosso
67... Strasbourg

Monsieur le Directeur,

J'attends toujours l'avant-dernier numéro de la revue "Informatico" à laquelle je m'étais abonné par vos soins lors de mon passage dans votre ville, à l'occasion de l'exposition qui s'y étais tenue en mai dernier. J'ai reçu régulièrement les premiers numéros jusqu'à celui d'octobre qui ne m'est jamais parvenu. Je vous l'avais signalé dès la réception du numéro de novembre, me demandant si la grève des P.T.T. n'avait pas contribué à ce retard.

Au cas où il ne s'agirait pas d'une omission de votre part et si l'expédition à mon adresse a bien été effectuée, la perte s'étant alors produite au cours de la distribution, vous voudrez bien me faire parvenir un autre exemplaire (octobre, n° 7) que je vous réglerai par retour de courrier, préférant en effet assumer ce surcroît de dépense plutôt que la privation d'une parution de ce magazine qui me donne entière satisfaction.

Impatient de recevoir une prompte réponse de votre part, je vous prie d'agréer, Monsieur le Directeur, l'assurance de mes sentiments distingués.

C. MAURICOURT

* * *

Monsieur le Directeur des Contributions,

Je vous écris pour le compte d'une voisine âgée à qui je rends de menus services, sa vue étant très mauvaise. Elle vient de recevoir un avis d'impôt à payer alors que, prétend-elle, elle n'est pas imposable au titre de l'impôt sur le revenu depuis déjà quelques années. Je n'ai pu retrouver dans ses papiers, ni avis de non-imposition, ni justificatifs de règlements pour ces dernières années. Il s'agirait donc de savoir, si effectivement elle n'était pas imposable, pourquoi cette demande de contribution lui a été adressée : s'agit-il d'une erreur, ou bien un changement dans ses revenus la place-t-elle dans une autre catégorie ?

Dans ce dernier cas, devrait-elle s'acquitter de la somme qui lui est réclamée pour l'année écoulée même si elle obtient une carte d'invalidité, ainsi que son médecin ophtalmologiste lui conseille d'en faire la demande, celle-ci entraînant d'office, paraît-il, la non-imposition sur le revenu. Quelles seraient alors les démarches à suivre à partir du certificat médical ?

D'avance, je vous remercie pour les éclaircissements que vous voudrez bien apporter à la situation de cette dame un peu affolée à la réception de cet avis auquel elle ne s'attendait pas, et c'est bien sincèrement que je vous prierais d'agréer, Monsieur le Directeur, mes respectueuses salutations.

A. VÉRAN

P.J. : *avis d'imposition concernant Mme Vve Rosalie Léandri*
141, bd de Cessole
06... Nice

* * *

• 2ᴱ CAS : IL Y A UN DOUTE QUANT À LA RESPONSABILITÉ DU MALENTENDU

Vous écrivez aux services responsables de ventes par souscription d'une maison d'édition pour manifester votre étonnement de ce qu'on vous adresse le contrat de souscription avant même que vous ayez pu consulter les ouvrages qui devaient être envoyés "sans obligation d'achat", selon la publicité. Vous profitez de l'occasion qui vous est donnée d'écrire pour vous renseigner sur les conditions d'envoi et de paiement des autres volumes au cas où les deux premiers vous auraient intéressé.

M. Ludovic Bonaventure   Valence, le 22 septembre 19..
21, rue Châteauvert
F-26... Valence

Editions "Archaïques et Modernes"
68, rue Saint-Jacques
75... Paris
Services Comptables

Messieurs,

Ayant demandé à consulter sans engagement d'achat les deux premiers volumes de la nouvelle collection "L'Histoire avec un grand H" susceptible de m'intéresser — j'ai rempli à cet effet le bon qui accompagnait la publicité parue dans la revue "Qui et Quoi" —, je suis très étonné de recevoir une facture — ou plus exactement un contrat de souscription — alors même que je n'ai pas reçu les ouvrages en question, ouvrages que je ne suis pas du tout sûr de conserver, d'ailleurs.

S'ils me convenaient, après les avoir reçus, et réglé ce premier envoi, vous serait-il possible de me faire parvenir les quatre autres ensemble ? Je serais ainsi certain d'avoir réuni toute la collection que je réglerais ensuite par versements échelonnés selon votre proposition.

Dans l'attente de ces deux premiers livres que j'espère recevoir bientôt, ainsi que votre réponse, je vous prie d'agréer, Messieurs, l'expression de mes distinguées salutations.

M. Bonaventure
(Signature)

Réponse à une lettre de réclamation

• Rectification d'une erreur

Vous savez que vous n'êtes pas en tort. On vous rappelle à l'ordre pour un règlement qui n'a pu être effectué dès réception d'une facture que vous n'avez pas reçue à temps parce que l'adresse portée sur l'enveloppe était erronée.
— 1ᵉʳ cas : le règlement a été effectué avec retard.
— 2ᵉ cas : le règlement n'a pu être effectué parce que la facture ne vous est jamais parvenue.
Voici tout d'abord la lettre de réclamation adressée par le Trésor public.

TRÉSOR PUBLIC   Le Mans, le 27-01-19..

En cas de litige ou de réclamation
appeler la R.A.P.
Tél. .. ..
Dossier n° *97432*

Madame, Monsieur,

La Régie des Restaurants et Activités Périscolaires (R.A.P.) m'informe que, sauf erreur ou omission, à la date de la présente lettre vous restez redevable de la somme de : ... F, pour la période du 3-11-.. au 20-12-..
Je vous rappelle que les règlements sont à effectuer dès réception de la facture. Je vous serais reconnaissant de bien vouloir en tenir compte à l'avenir.
Si vous avez réglé la somme ci-dessus, ne tenez pas compte de ce rappel.
Dans le cas contraire, je vous prie de faire parvenir sans délais votre paiement à la R.A.P., sans oublier de joindre l'étiquette adhésive ou de rappeler votre numéro de dossier.
Je vous prie d'agréer, Madame, Monsieur, l'assurance de ma considération distinguée.

Le Trésorier Principal Municipal
B. Casanova

Nota. — A defaut de paiement ou en cas de retards repetes, je me verrai dans l'obligation d'engager des poursuites avec les frais en resultant a votre charge, et de signaler votre dossier a monsieur le maire du mans, avec les consequences que cela peut comporter.

Précautions :

Une lettre de réclamation n'est certes jamais agréable à recevoir. De plus, vous savez que vous n'êtes pas en tort. Évitez de profiter de cet avantage pour décharger votre agressivité sur le rédacteur de la dite lettre qui ne fait qu'accomplir les devoirs de sa charge, ou sur l'employé débordé... ou distrait qui a commis l'erreur : ne répondez pas de façon acerbe : restez conciliant et courtois.

Dans les deux cas, vous téléphonez pour expliquer ce retard de paiement et renvoyez la facture avec, dans le 1er cas, confirmation par lettre (ou simple carte) que le règlement a bien été (ou vient d'être) effectué. Vous joignez une photocopie de l'enveloppe portant la mention de l'adresse erronée pour justifier de votre bonne foi.

— 1ᵉʳ cas : le règlement a été effectué avec retard. Vous répondez sur simple carte de visite pour le confirmer et demandez que l'erreur soit rectifiée afin que pareil désagrément ne se reproduise plus.

P. Bonnefoy   Le Mans, le 28-1-19..
181, bd de la Liberté
72… Le Mans

Le règlement de la facture du 23-12-.. a bien été effectué le 18-1-.. et la somme de … F encaissée par vos services (!). Le retard de paiement de cette facture est dû à une erreur de votre part : la mention erronée de l'adresse portée sur l'enveloppe de la dite facture a provoqué un retard d'acheminement qui nous a mis dans l'impossibilité de respecter les délais pour régulariser notre situation (cf. P.J. numéro de la rue 181, et non "18" — sic ! —).
Merci de vouloir bien rectifier cette erreur afin que pareil incident ne se reproduise plus.

Sincères salutations,
P. BONNEFOY

P.J. : *photocopie de l'enveloppe portant la mention de l'adresse erronée.*

— 2ᵉ cas : le règlement n'a pu être effectué parce que la facture ne vous est jamais parvenue. Vous envoyez le règlement de la facture et joignez un petit mot explicatif sur simple carte de visite, en demandant que l'erreur soit rectifiée afin que pareil incident ne se reproduise plus.

P. Bonnefoy   Le Mans, le 28-1-19..
181, bd de la Liberté
72… Le Mans

Suite à notre conversation téléphonique, voici le règlement de la facture du 23-12-.. Ce retard de paiement est dû à une erreur de vos services : la dite facture ne nous est jamais parvenue parce que l'adresse portée sur les enveloppes que vous nous adressez est erronée (cf. P.J. numéro de la rue 181, et non "18").
Merci de bien vouloir faire le nécessaire auprès de vos services afin que pareil incident ne se reproduise plus.
Recevez, Monsieur, mes salutations.

Pierre BONNEFOY

P.J. : *photocopie de l'enveloppe portant la mention de l'adresse erronée.*

Lettre pour demande de paiement

1. Lettre adressée au propriétaire d'un appartement pour présenter une facture et signaler un problème électrique.

M. et Mme Bonnot
18, rue A.-Karr
2e étage
19… Tulle

à M. le Responsable du Service technique
Office public H.L.M.
Rue de Rennes
19… Tulle

Tulle, le 2 mars 19……

Monsieur,

Dans la deuxième semaine de février, nous avons connu dans l'appartement que nous occupons des problèmes d'électricité : plusieurs prises — dont trois prises de la cuisine — ne fonctionnaient plus. Lorsque nous changions les plombs, ceux-ci sautaient aussitôt. Nous avons averti vos services, qui nous ont demandé de faire appel à un électricien.

Celui-ci est venu le lundi 13 février procéder aux réparations. Ainsi qu'il l'indique sur sa facture, il ne s'agissait pas d'une panne qui serait due à l'usure normale ou à un mauvais usage, de notre part, de l'équipement électrique. En effet, il a relevé des traces d'humidité dans le circuit électrique, plus précisément dans la cloison qui sépare la cuisine de la salle de séjour. L'électricien — M. P. Bonnefoy — est prêt à vous rencontrer pour le cas où vous jugeriez utile de l'entendre à ce sujet.

Le problème est, d'ailleurs, plus important peut-être, des traces d'humidité ayant été relevées dans les chambres de l'étage.

Comme convenu avec l'Office par téléphone hier, je joins à ma lettre la facture de la réparation afin que vous puissiez l'acquitter.

Par ailleurs, nous attendons que vos services nous contactent afin de venir s'assurer que le système électrique de l'appartement ne menace pas de cesser de fonctionner, voire de provoquer quelque accident.

En vous remerciant d'avance de l'attention que vous porterez à notre lettre, je vous fait part, Monsieur, de l'assurance de mes salutations respectueuses.

M. et Mme Bonnot

P.J. : *la facture de l'électricien.*

* * *

2. Lettre adressée au propriétaire d'un appartement pour présenter une facture et signaler un problème électrique.

M. et Mme Bonnot   Tulle, le 2 mars 19..
33 *bis*, avenueA.-Karr
2e étage
19... Tulle
Tél. .. ..

                                                        M. et Mme Jean Coutil
                                                        56, avenue Montaigne
                                                        19... Tulle

Madame, Monsieur,

Nous vous avions signalé à plusieurs à plusieurs reprises dès le 9-2-19.. le problème électrique qui se posait dans notre appartement mais vous aviez refusé de vous déplacer, estimant qu'il appartenait au locataire de le résoudre.

C'est pourquoi nous avons fait appel à un électricien professionnel, M. P. Bonnefoy, qui a constaté que l'origine du problème électrique relevait d'un mauvais état des tuyaux remplis d'eau.

Ceci étant, nous vous adressons la facture de M. Bonnefoy qui se tient à votre disposition pour constater avec vous l'étendue des dégâts : la réparation électrique effectuée, il reste à résoudre le problème de ce mauvais état des conduits.

Merci de bien vouloir prendre contact avec lui et avec nous rapidement afin que nous puissions convenir d'une heure de rendez-vous. Comprenez que le problème électrique demeure et que nous souhaitons que le nécessaire soit fait dans les plus brefs délais.

Recevez, Madame, Monsieur, l'expression de nos très sincères salutations.

                                            M. et Mme Bonnot

P.J. : *la facture de l'électricien.*
                                    * * *

3. Vous écrivez à une cliente pour lui demander de bien vouloir régler sa facture, prêt à envisager la possibilité de quelque arrangement si elle se trouvait momentanément en difficulté. Vous l'avertissez tout de même, poliment mais fermement, que vous seriez contraint de faire appel à la justice si elle persistait à ne pas donner signe de vie.

M. Honoré BERTRAND   Cannes, le 3 avril 19..
Tapissier-Décorateur
43, rue d'Antibes
Cannes 06...

                                                        Madame Suzanne DAMIAN
                                                        4, rue Gérard-Philipe
                                                        06... Cannes

Chère Madame,

Très étonné de ne pas avoir eu le plaisir de votre visite à notre magasin, que vous aviez annoncée le soir où nous avons placé les tentures à la fenêtre de votre chambree — après vous avoir livré le couvre-lit que vous aviez bien voulu nous commander —, je me suis permis de passer à votre domicile pour vous présenter notre facture à l'encaissement, déduction faite de ce que vous aviez versé le jour où vous aviez choisi les tissus et approuvé les croquis. Je me permets de vous rappeler que ce premier versement étant minime, c'est presque la totalité du montant des travaux que vous restez devoir, et que cette somme ne saurait faire trop longtemps défaut dans notre trésorerie.

Avant de confier la facture concernant le travail exécuté pour votre compte à l'entreprise spécialisée dans le recouvrement des impayés, j'aimerais savoir si quelque désagrément vous aurait empêché de faire face à vos engagements, auquel cas nous nous efforcerions d'en tenir compte, toujours soucieux de satisfaire nos clients. Vous aviez paru assez pressée de voir achevée la décoration de votre chambre et nous avions mis tous nos soins à vous servir. Nous sommes d'autant plus surpris de ne jamais trouver personne à votre domicile et de n'avoir aucune nouvelle de vous.

Dans l'espoir de recevoir votre réponse dans un prochain courrier, je vous prie d'agréer, chère Madame, l'assurance de mes sentiments dévoués et de mes hommages respectueux.

Honoré Bertrand
(Signature)

* * *

Réponse à une demande de paiement

Lettre de réponse à la demande de paiement d'un entrepreneur peu scrupuleux qui n'a pas tenu ses engagements jusqu'au bout. "Donnant-donnant" : vous refusez de payer tant que vous n'avez pas obtenu satisfaction.

M. Charles Villarde   Le Rouret, le 19 mars 19..
Villa "Les Jasmins"
Route de Grasse
Le Rouret 06…

Société REVELLI Frères
Entreprise de Maçonnerie Générale
Ravalement de façades et
Transformation d'appartements
Roquefort-les-Pins 06…

Messieurs,

J'ai bien reçu votre lettre du 15 mars dernier me réclamant le solde du montant convenu pour les travaux d'agrandissement effectués par vos soins dans ma villa "Les Jasmins", au Rouret, suivant devis en date du 20 septembre 1988. Or, il était bien stipulé sur celui-ci que l'enlèvement des déblais était compris dans le coût demandé et j'attends depuis plus de deux semaines qu'on vienne débarrasser le jardin des gravats et vieilles boiseries qui l'encombrent, ce qui ne saurait être laissé à la charge des autres corps d'état.

Sitôt que vos ouvriers auront fait le nécessaire pour réparer cet oubli, je m'empresserai de vous faire parvenir un chèque de la somme que je reste vous devoir, d'après le relevé que vous m'avez envoyé.

Veuillez agréer, Messieurs, l'expression de nos salutations les meilleures.

Ch. Villardet

* * *

La lettre d'avertissement

Vous écrivez à un entrepreneur inexact, pour manifester votre inquiétude devant l'état peu avancé des travaux et lui laisser entrevoir les conséquences fâcheuses que ce retard pourrait occasionner, pour vous comme pour lui.

M. et Mme Garcin Jean-Luc   Grasse, le 31 mars 19..
Mas des Quatre-Jares
Quartier Sainte-Anne
Grasse 06…

Société Civile Immobilière
HORIZON DE PROVENCE
Agence "Mistral"
Saint-Raphaël (83)

Messieurs,

Nous sommes passés voir le chantier des constructions en cours d'exécution à Sainte-Maxime, précisément l'appartement n°3 de l'immeuble "Le Lafayette" dont nous avons fait l'acquisition sur plans à l'intention de notre fils qui va s'y installer avec sa famille, ayant pris toutes les dispositions pour quitter la région parisienne.

Étant donné l'état d'avancement des travaux, nous sommes fort inquiets, nous demandant si la remise des clés pourra se faire à la date promise. En effet, c'est en fonction de celle-ci que notre fils a donné congé de l'appartement qu'il occupe en location à Paris, et il serait tout à fait fâcheux qu'il fût obligé d'effectuer son déménagement avant de pouvoir disposer de son nouveau logement. Outre le désagrément pour tous d'une telle situation, cela entraînerait des frais (location provisoire, garde-meuble, etc.), dont nous serions bien forcés de demander le dédommagement.

Nous espérons que vous pourrez nous donner rapidement toutes garanties à ce sujet et que vous nous ferez savoir par retour de courrier si la date prévue d'achèvement des travaux sera ou non maintenue.

Dans cette attente, nous vous prions d'agréer, Messieurs, l'expression de nos salutations distinguées.

M. et Mme Garcin
(Signature)

Demande de délai de paiement

Vous écrivez à l'assureur de votre mari, momentanément hospitalisé, pour lui demander s'il vous est possible de suspendre momentanément vos paiements, le temps de passer le cap difficile, sans perdre le bénéfice des droits et nuire à la constitution du capital décès.

Madame Madeleine COLLIN
14, rue Lebouteux
75... Paris

Paris, le 24 novembre 19..

Compagnie d'Assurances "La Sérénité"
32, rue de Lisbonne
75... Paris

Messieurs,

L'hospitalisation de mon mari opéré d'urgence le 9 novembre dernier, me mettant financièrement dans une situation embarrassante et me trouvant, je l'avoue, plutôt débordée face à toutes les complications tant administratives que domestiques (nous avons deux jeunes enfants et aucune famille à Paris) je n'ai guère le loisir de rechercher et d'examiner le contrat d'assurance-vie (invalidité-décès) souscrit par mon mari il y a quelques années ; je ne serais d'ailleurs pas sûre de le comprendre dans ses détails. Je m'en remets donc à vous pour me faire savoir s'il existe une clause permettant de surseoir momentanément au versement des primes sans perdre le bénéfice des droits et gêner à la constitution du capital décès.

Je ne vous cache pas qu'une formule de ce genre m'arrangerait vraiment en ce moment où je me trouve dans l'obligation de régler des frais imprévus que je ne puis différer ; même si je dois être remboursée par la suite, c'est maintenant qu'il me faut passer ce cap critique et je vous remercie dès à présent de votre compréhension. J'ai heureusement bon espoir que ces désagréments ne sont que momentanés, l'état de santé de mon mari, bien que sérieux, n'offrant pas de réel danger.

Dans l'attente d'une prompte réponse de votre part, favorable je l'espère, je vous prie d'agréer, Messieurs, l'assurance de mes sentiments distingués.

Madame Collin
(Signature)

Proposition d'un échéancier

Monsieur Philippe Le Gary
28 bis, rue de la Poste
75000 Paris

TRÉSORERIE PRINCIPALE
75000 - PARIS

Réf : 75 20 100000...   Paris, le ....

Monsieur le Trésorier Principal,

Le paiement de mes impôts s'effectue par prélèvement mensuel sur mon compte bancaire.

Mon revenu 1994 a été supérieur à ceux des années précédentes, ce qui entraîne une augmentation d'impôt de 2525 Frs à vous régler à l'échéance du 15 décembre prochain. C'est une augmentation importante que j'ai mal estimée.
Ma situation de mère divorcée devant faire face à dépenses imprévues ne me permet pas de disposer de cette somme immédiatement.
C'est pourquoi, je saurai gré de bien vouloir m'autoriser à échelonner le paiement de ce solde d'impôt que je vous réglerai par chèque bancaire sur plusieurs mois suivant le calendrier suivant :
- le 15 décembre prochain.................   525 Frs
- les 31/01 - 29/02 - 31/03 - 30/04/96.   500 Frs
Mon salaire de fonctionnaire doit me permettre de respecter cet engagement sachant que les prélèvements prévisionnels pour l'impôt relatif au revenu 95 seront effectués comme à l'habitude.
En espérant que vous donnerez une suite favorable à ma demande, j'informe ma banque de ma démarche auprès de vous et afin d'éviter tout refus de paiement de sa part, je lui demande de ne pas honorer le prélèvement prévu le 15 décembre prochain pour le montant de 2525 Frs.

Je vous prie d'agréer, Monsieur le Trésorier Principal, l'expression de mes salutations distinguées.

Ph. Le Gary
(Signature)

La lettre d'excuses pour un élève

Lettre adressée au directeur de l'établissement scolaire de votre enfant pour lui donner les raisons de son absence.

M. Marc Letillois Blois, le 20 novembre 19..
55, boulevard V.-Hugo
41... Blois
Tél....

Monsieur le Directeur,

(1) Mon fils Eric Letillois (classe de 5e B) n'a pu suivre les cours de la semaine dernière.
(2) Il a souffert d'une bronchite asthmatiforme qui l'a obligé à garder la chambre. Il est aujourd'hui tout à fait rétabli et son cas ne présente aucun risque de contagion, le certificat du médecin en témoigne. (3)
(4) Veuillez accepter mes sincères excuses pour cette absence totalement involontaire de mon fils et les transmettre également à ses professeurs.
Je vous prie d'agréer, Monsieur le Directeur, l'expression de mes hommages distingués.

(Signature)

• Composantes de la lettre :

1. Commencez par situer l'élève dans l'établissement (nom, prénom, mention précise de la classe) et annoncez l'objet de la lettre.
2. Précisez la cause de l'absence.
3. Le certificat de non-contagion n'est pas obligatoire sauf si la maladie est reconnue pour très contagieuse et de nature à faire redouter une contamination des camarades de classe.
4. Adressez vos excuses au directeur, au proviseur, au surveillant général ou au professeur principal. N'oubliez pas de demander que ces excuses soient transmises également aux autres personnes de l'établissement concernées (aux autres professeurs de la classe par exemple).

Pour toute autre relation avec l'établissement scolaire de votre enfant (problème particulier, brimades, etc.), mieux vaut demander un rendez-vous avec le directeur, l'un des professeurs ou le surveillant général.

• Cadrage des objectifs

Vous présentez des excuses, vous êtes donc demandeur. De plus, vous adressez ces excuses au nom de votre fils à des personnes qui sont autorisées après vous à en attendre du respect et des égards. La démarche est donc celle de la prière, de la demande respectueuse à un supérieur hiérarchique : "Je vous serais reconnaissant de bien vouloir excuser l'absence de mon fils…" est certes un peu trop obséquieux pour la circonstance. Toutefois, c'est celle qui vous induit à préférer le "Je vous prie de bien vouloir" au "vouloir bien" (utilisé pour s'adresser à des "inférieurs" : domestiques, commerçants, etc.) et qui fait toute la différence entre la prière et l'exigence d'obéissance, l'ordre sans réplique. Méfiez-vous ! nous avons affaire ici à un langage codé qui régit la plupart des échanges sociaux : l'usage en impose les règles et leur non-respect passe pour grossièreté ; les gens sont très chatouilleux sur le chapitre des règles du savoir-vivre qui leur permettent de se situer dans la hiérarchie sociale et de se faire respecter en conséquence, il y va de leur dignité.

Le corps professoral est tout particulièrement éclairé sur la question : soucieux de faire respecter son autorité par les élèves et leurs parents, il est jaloux de ce pouvoir souvent contesté et tout manquement passe à ses yeux pour désinvolture. Les enseignants attachent une grande importance à la ponctualité et à l'assiduité qui sont autant de marques de déférence. N'encourez pas leur courroux en froissant leur susceptibilité, votre enfant risquerait d'en faire les frais ! Ne leur ménagez pas les formules de politesse…

Tout d'abord, ayez le souci de justifier l'absence de votre enfant, quelles qu'en soient les causes, avouées, non-avouées, avouables, non-avouables, donnez un explication et insistez bien sur ce point : c'est une cause indépendante de sa volonté et de la vôtre qui l'a contraint de manquer la classe (maladie, intempérie, problème mécanique, familial, décès ou problème d'ordre privé dont vous n'êtes pas tenu de préciser la nature si vous respectez les formes).

• FORMULES DE POLITESSE :

Attention à la formule "Je vous serais reconnaissant de…" ! Si elle n'est pas accompagnée de "bien vouloir", c'est l'expression d'une exigence et non d'une prière.

— Écrivez Monsieur le Directeur, Monsieur le Proviseur, Monsieur le Préfet de division, Monsieur l'Intendant, mais lorsque vous vous adressez aux enseignants : Monsieur, Madame ou Mademoiselle, en faisant suivre le nom du correspondant de la mention : "Instituteur à X…" ou "Institutrice à l'école de X…", "Professeur au lycée de…".

•• Formules d'adieu :
— *Veuillez agréer, Monsieur le Directeur, l'assurance de mes sentiments les meilleurs.*
— *Veuillez agréer, Monsieur le Proviseur, l'assurance de mes sentiments distingués.*
— *Je vous prie d'agréer, Monsieur le Surveillant Général, l'assurance de mes très sincères salutations.*
— *Recevez, Monsieur le Directeur, avec mes excuses, l'expression de ma considération très distinguée.*
— *Croyez, Monsieur, à l'expression de mes meilleurs sentiments.*
— *Croyez, Madame, à l'expression de ma considération distinguée.*
— *Avec mes regrets, veuillez croire, Monsieur, à l'expression de ma considération distinguée.*
— *Je saisis ici l'occasion pour vous exprimer, avec mes plus respectueuses salutations, ma reconnaissance de tout ce que vous avez fait pour Christophe.*

Vous n'en ferez jamais trop dans ce domaine : reportez-vous au premier chapitre de cet ouvrage, vous découvrirez que l'apparente obséquiosité de ces formules ne vous engage à rien. Elle appartiennent à un système de conventions sociales et sont devenues de véritables poncifs. Ne craignez pas d'en user et ne soyez pas réticents, votre raideur révélerait votre manque d'usage ou, pis encore, on pourrait croire que vous vous montrez délibérément cavalier.

L'enseignant sera sensible à l'expression de votre considération, sincère (ou contrefaite), et votre enfant aura tout à y gagner : il sera peut-être lui-même davantage pris en considération en retour. Prenez l'occasion de ce billet pour témoigner à l'enseignant votre reconnaissance de tout ce qu'il a fait et encouragez-le à poursuivre dans cette voie qui fait le bonheur de votre enfant et le vôtre. Il vaut mieux, bien sûr, que ces témoignages de reconnaissance et ces respectueuses salutations soient sincères. N'en faites tout de même pas trop et ne tombez pas dans l'excès inverse : la flatterie qui sera taxée d'hypocrisie.

"La seule règle est de plaire et de toucher", encore une fois, c'est l'idéal classique de mesure et d'équilibre qui prévaut.

• CHOIX DE FORMULES ADAPTÉES À DIFFÉRENTS CAS DE FIGURES

•• Absence pour cause de maladie :

— *Veuillez excuser ma fille Jeanne Delaval qui, devant garder le lit à cause d'une forte fièvre, n'a pu se rendre au collège ce matin. Le docteur estime qu'elle pourra reprendre l'école dans deux ou trois jours.*

— *Mon fils Pierre Bonnaire avait ce matin une assez forte fièvre. Le docteur a diagnostiqué une angine et exige qu'il reste une semaine au lit.*

Je vous serais très obligé(e) de bien vouloir remettre à son camarade Bernard Bonnot, notre voisin, les devoirs de la semaine.

Je ferai de mon mieux pour l'aider à rattraper son retard.

— *Je vous prie de bien vouloir excuser ma fille Charlotte Caradona de ne pas aller au lycée aujourd'hui. Elle s'est réveillée ce matin avec une forte fièvre et le médecin conseille de la garder quelques jours à la maison avant de la laisser retourner en classe.*

Je regrette beaucoup ce contretemps. J'espère que Charlotte pourra recommencer à travailler la semaine prochaine.

•• Absence pour cause de mauvais temps (tempête) ou de problème mécanique (panne) :

— *Je vous prie de bien vouloir excuser l'absence de ma fille Bénédicte Koller ce mardi 6 novembre. En effet, à la suite de la tempête de neige de la nuit précédente il ne m'a pas été possible de l'amener à l'école en voiture comme je le fais quotidiennement.*

•• Absence pour cause familiale (problème d'ordre privé dont vous n'êtes pas tenu de préciser la nature) :

— *Je vous serais obligé(e) de bien vouloir excuser mon fils Christophe Marchand, élève de 6e B, pour son absence.*
Un imprévu d'ordre familial m'a contraint(e) de le garder à la maison.

•• Absence pour cause de décès dans la famille :

— *Un de nos parents auquel nous étions fort attachés vient de mourir. Il était le parrain de notre fils et nous ne pouvons dispenser celui-ci du triste devoir de l'accompagner à sa dernière demeure.*
Veuillez l'excuser de manquer ses classes pendant deux jours car l'enterrement a lieu en province.
Recevez, Monsieur le Directeur, avec nos excuses, l'expression de notre considération très distinguée.

•• La simple carte de visite permet d'éviter la formule d'appel :

— *Merci de bien vouloir excuser l'absence de Bénédicte hier. J'ai préféré la garder à la maison afin qu'elle se repose des fatigues de la nuit précédente pendant laquelle elle fut prise plusieurs fois de violents vomissements.*
Elle est tout à fait rétablie aujourd'hui.
Recevez, chère Madame, l'expression de nos plus cordiales salutations.

•• Lettre d'excuse pour des devoirs non faits :

— *Monsieur le Proviseur,*
Mon fils est rentré hier soir avec la migraine et si fiévreux que j'ai dû appeler le médecin.
Il semble mieux ce matin, mais il n'a pu faire ses devoirs. Je vous demande de bien vouloir l'excuser.
Croyez, Monsieur le Proviseur, à l'expression de ma considération très distinguée.

•• Lettre d'excuse pour un devoir non terminé :

— *Ma fille s'est couchée très tôt, hier soir, avec une forte migraine, de sorte qu'elle n'a pu terminer son travail. Merci de bien vouloir l'en excuser.*

Sur une carte de visite.

Je vous prie d'excuser ma fille Simone Valence, qui n'a pu terminer son devoir d'histoire. Elle a été souffrante pendant la journée de dimanche (embarras gastrique) et nous avons dû, son père et moi, l'obliger à se reposer.
Croyez, Madame, à l'expression de ma considération distinguée.

•• Lettre d'excuse pour l'absence du matériel de travail :

— *Merci de bien vouloir accueillir ma fille, Agnès Simonet, sans son matériel de travail. Un imprévu d'ordre familial nous a contraint de la laisser chez sa grand-mère, mercredi soir, et elle n'a pu retourner à la maison pour récupérer son cartable.*

•• Lettre d'excuse pour un retard :

— *Merci de bien vouloir excuser le retard de mon fils Bertrand Delanef. Nous avons été retardés par un embouteillage provoqué par un accident sur la rocade sud.*

•• Demande d'autorisation de sortie avant l'heure (sur une carte de visite).

— *Monsieur le Proviseur,*
Je vous prie, par la présente, de bien vouloir libérer ma fille Christine Nilsen jeudi prochain à 16 heures car elle devra prendre le train de 16h 54 pour se rendre à Antibes où se déroulera le tournoi de bas-ket-ball auquel elle prendra part avec son club.
Vous remerciant par avance, je vous prie d'agréer, Monsieur le Proviseur, l'expression de mes sentiments distingués.

•• Autorisation :

— *J'autorise mon fils à participer au pique-nique organisé par sa classe au parc de la Toison d'Or le vendredi 17 juin à midi — ou (ce jour 17 juin avec Madame Oscar) —.*

Dans cette dernière série de lettres d'excuses, vous êtes plus que jamais demandeurs : vous ne vous contentez plus de justifier par courtoisie une absence plus ou moins sérieusement motivée, vous attendez *une faveur* : que l'on accepte que votre enfant arrive en classe sans avoir fait son travail ou sans matériel de travail du tout, qu'on l'accueille malgré son retard ou que l'on autorise un retard, une sortie avant l'heure, etc. Moins que jamais, ménagez les formules de politesse !

— *Vous adressant l'assurance de nos remerciements anticipés, je vous prie de croi-re, Monsieur, à l'expression de notre reconnaissance et à nos très sincères salutations.*
— *Je vous prie d'agréer, Madame, avec mes remerciements anticipés, l'expression de mes plus respectueuses salutations.*
— *Vous remerciant par avance, je vous prie d'agréer, Monsieur, l'expression de mes plus courtoises salutations.*

Lettre d'excuses professionnelle

1. Le colis que vous avez envoyé à un commerçant a été endommagé. Vous le priez de bien vouloir vous excuser de ce désagrément dont vous rechercherez les causes. En attendant, vous précisez que vous lui envoyez un autre colis pour remplacer le précédent et, en cadeau, un article supplémentaire destiné à faire oublier l'incident.

"L'Écureuil sur la branche" Luminy, le 8 juin 19..
M. Xavier Perruchat
Gérant
Centre de Diffusion de
Marseille-Luminy

M. Thierry Lemoine
"Sport Week-End et Santé"
Place Général-de-Gaulle
Nice 06…

Cher client et ami,

On vient de me faire part de votre appel et croyez bien que votre contrariété n'a d'égale que la mienne. Afin de ne pas décevoir trop longtemps les clients qui vous ont fait confiance en passant commande de colis spéciaux de la série "Graines en Granges", je fais partir sur-le-champ le même nombre de boîtes que vous aviez commandé, vous priant de conserver telle quelle la première commande en attendant de savoir ce qui s'est passé. C'est en effet la première fois que cela arrive ; nous n'avons eu à enregistrer aucune plainte concernant cette promotion qui continue d'avoir beaucoup de succès. Je suis vraiment navré que cela soit tombé sur vous. C'est pourquoi je vous écris pour vous assurer que le nécessaire a été fait, avant même d'avoir pu vous joindre personnellement au téléphone.

Tous nos envois voyageant par voie de surface sans subir de sérieux dommages, je suis vraiment surpris que seuls les achats de légumes déshydratés se soient répandus dans le carton, sans que les emballages extérieurs ne montrent trace de choc. Il restera à vérifier si le colis que vous avez ouvert est bien le seul à incriminer, auquel cas il s'agirait d'un accident rarissime de l'ensachage automatique.

Je vous prie encore de ne pas nous tenir rigueur de ces déboires indépendants de notre volonté et, pour nous faire pardonner, je vous ai fait joindre quelques boîtes de sachets individuels des infusions "La Joie en Herbes", que nous avons le plaisir de vous offrir pour les faire essayer à vos clients.

Veuillez agréer, cher client et ami, l'assurance de mes sentiments dévoués.

X. Perruchat
(Signature)

2. Vous écrivez à un client pour expliquer le retard d'exécution des travaux demandés (retard dû à un problème de livraison du matériel résultant d'une grève des transporteurs). Vous le priez de ne pas vous tenir rigueur de cet ajournement de la fin des travaux, indépendant de votre volonté.

M. Jean-Baptiste COLOMAS
La Gaude, le 12 mai 19..
Artisan Carreleur
à La Gaude 06…

M. et Mme Benjamin RICHIER
"Villa-Marjorie"
Cagnes-sur-Mer 06…

Monsieur et Madame,

Je suis vraiment désolé, sachant combien vous êtes impatients de quitter le bord de mer pour vous installer dans votre bastide sur les hauteurs de Vence, de ne pouvoir vous donner satisfaction.

M. MAURINE, le décorateur, a dû vous dire à quel point cette grève des transporteurs italiens a perturbé l'organisation des travaux sur tous les chantiers. La plupart des carreleurs de faïence étant fournis par des créateurs italiens, spécialement pour les cuisines et salles de bain des mas de style provençal, nous nous sommes trouvés bloqués un peu partout. Les fournisseurs reçoivent maintenant seulement les commandes en provenance de l'Italie, et notamment les très jolis carreaux choisis pour votre cuisine sont arrivés.

Malheureusement, malgré la volonté de contenter tous nos clients, nos rendez-vous sont décalés et nous aurons bien du mal à combler le retard. J'espère que nous pourrons être sur place à Vence dès le début de la semaine prochaine pour terminer les pièces en question, et qu'en ce qui nous concerne, il ne s'agira que d'un retard d'une dizaine de jours sur la date prévue approximativement pour la finition.

Vous voudrez bien nous excuser de ce contretemps indépendant de notre volonté, et dans cet espoir, je vous prie de bien vouloir accepter, Monsieur et Madame, l'assurance de mes dévoués salutations.

M.J.-B. Colomas
(Signature)

* * *

3. Vous écrivez à un organisme pour expliquer un retard de paiement.

M. Germain Bouvreuil   Joigny, le 20 août 19..
5, avenue Marcel-Aymé
89… Joigny

Objet : facture du…
Réf… : dossier n°…

Compagnie Générale des Eaux
Centre Régional de l'Yonne
11, place de "La Jument-Verte"
89... Joigny

Madame, Monsieur,

J'ai le regret de vous informer que le titre universel de paiement émis à votre profit le... pour un montant de... F, n'a pu être porté au débit de mon compte pour insuffisance de provision.
Ce contretemps est dû à un retard de paiement de mes indemnités journalières, je vous prie de bien vouloir l'excuser. Je vous adresse par la présente un chèque bancaire pour ce règlement différé.
Veuillez agréer, Madame, Monsieur, l'expression de mes sentiments distingués.

(Signature)

* * *

Demande de confirmation d'une commande

Vous précisez les délais de confection et de livraison après vérification, à une cliente intéressée par un article que vous n'avez plus dans votre magasin. Comme de surcroît votre fournisseur est en rupture de stock, vous rappelez à la cliente son hésitation entre deux coloris, lui signalant que le second est immédiatement disponible. Après lui avoir proposé de lui remettre en mémoire les coloris en lui faisant porter les échantillons à domicile, vous lui demandez ce qu'elle envisage de faire.

"SCHÉHÉRAZADE"   Antibes, le 11 décembre 19..
Maison du Tapis et de la Moquette
Voilages-Rideaux
M. Brice Robert, *gérant*
3, place P.-Picasso
Antibes 06...

Mme GAILLARD Madeleine
"Le Pompadour"- Bloc C
10, rue Nicolas-de-Staël
Antibes 06...

Chère Madame,

Ainsi que je vous l'avais promis, j'ai de nouveau essayé, après votre passage au magasin, de joindre l'usine par téléphone. Je peux vous confirmer que le délai demandé pour la confection de la bordure et l'acheminement depuis la Belgique d'un tapis de 4m x 3m dans le type de moquette antitaches qui vous a intéressée est bien de 15 jours.
De toute façon, vous n'auriez donc pas pu l'avoir chez vous pour les vacances

de Noël, vous l'aviez déjà compris ; mais il se trouve de surcroît que le coloris que vous avez retenu (le n° 5045 de la collection) est en rupture de stock pour le moment, et qu'il faudrait prévoir un délai supplémentaire d'un peu plus d'un mois, si vous maintenez votre choix — délai tout à fait garanti puisque cette moquette, très demandée, est déjà en cours de fabrication.

Or, je me souviens que vous aviez un peu hésité avant de décider du coloris à commander et je me permets de vous signaler que nombre des coloris voisins sont immédiatement disponibles ; au cas où vous préféreriez vous fixer sur un autre numéro, je me tiens à votre disposition pour vous faire porter la collection à domicile afin de gagner du temps. Vous n'oublierez pas, en ce cas, de tenir compte que la proximité des petits échantillons entre eux accuse des différences de teintes qui son parfois très légères.

J'attends votre réponse avant de confirmer votre commande à l'usine et je vous prie d'agréer, chère Madame, en vous remerciant de votre confiance, l'expression de mes hommages respectueux et de mon entier dévouement.

M. Brice
(Signature)

* * *

Lettre pour demander des documents

Madame Roseline CARTIER
18, avenue Lamartine
71… Mâcon

C.P.A.M. de Saône-et-Loire
188, rue Rambuteau
71… Mâcon

Monsieur le Directeur,

J'ai bien reçu le remboursement des frais médicaux pour lequel je vous avais envoyé mes feuilles de maladie. Mais j'ai été surprise que celui-ci n'ait été accompagné d'aucun décompte. Or, j'en ai besoin pour ma complémentaire.

Vous voudrez bien en conséquence faire le nécessaire pour réparer cet oubli aussi rapidement que possible.

Dans cette attente, je vous prie d'agréer, Monsieur le Directeur, mes très sincères salutations.

* * *

Lettre pour accompagner l'envoi de documents *(lettre explicative)*.

Madame Clotilde MERLIN
45, rue des Chouans
85... Les Sables-d'Olonne

> C.P.A.M. de Vendée
> 304, bd A.-de-Vigny
> 85... Les Sables-d'Olonne

Monsieur le Directeur,

Vous voudrez bien trouver ci-joint les documents que vient de me retourner la Caisse à laquelle appartient mon mari et dont je dépendrai désormais puisque j'ai cessé de travailler à partir de mon troisième enfant.

Cet organisme me signale que d'après les dates indiquées sur les documents concernant les examens consécutifs à ma grossesse, je dépendais encore de votre Caisse.

Je vous envoie donc le tout, vous en souhaitant bonne réception.

Veuillez agréer, Monsieur le Directeur, mes salutations les meilleures.

* * *

La lettre pour communiquer une information

> Besançon, le 5 avril 19..

Cours AUBIER
 Impasse Tristan-Bernard
Besançon 25...
Tél. 03.81.00.00.00

> Aux participants du cours de gymnastique,
> groupe B

Bonjour,

Ce petit mot pour vous prévenir que votre cours du... ne pourra pas avoir lieu, Mlle Robin devant s'absenter pour des raisons professionnelles.

Merci de votre compréhension.

> *A bientôt,*

> *Myriam Aubier*
> (Signature)

* * *

La note de service

Elle doit exposer clairement et brièvement son objet : donner une information, une institution, un conseil, un ordre ou formuler une demande dans un style concis et précis.

Note de Mme Torveval à Mme Loiseau

Merci de bien vouloir remettre ce dossier à M. Richet.

* * *

Note du Secrétariat.   Lille, le 13 novembre 19..

Monsieur Darcourt,

Auriez-vous l'obligeance de m'envoyer un certificat médical de reprise de travail ?
Merci.

La signature est facultative.

* * *

Entreprise Pelti   Besançon, le 5 avril 19..
Impasse Tristan-Bernard
Besançon 25…

Diffusion : *tous les services.*

Des travaux de rénovation de la salle de repos et du réfectoire vont bientôt commencer. Dans ce cadre, nous aimerions que vous nous fassiez part de vos attentes.
Je vous invite à cet effet le 13 avril à 17 heures dans le hall d'accueil.

La Direction.

* * *
Communication

de M. Boniface
à M. Legrand.

Il faudrait que vous téléphoniez
                    aux ÉTABLISSEMENTS BONFILS
                        52, rue Descartes
                        72… La Flèche
                            Tél. …

pour connaître le prix de leurs cassettes réf. :…

* * *

Note au personnel administratif

Il est rappelé au personnel administratif de l'Entreprise que la voie d'accès située
à l'angle de la rue de Sévigné est réservée au seul usage des magasiniers et des
livreurs. Merci.
Le Sous-Directeur.

ÉTABLISSEMENTS MONTFAUCON   Melun, le 3 janvier 19..
51, av. N.-Fouquet
77... Melun
Tél....

*Voici le nouveau barème de... établi par... à la suite du projet que nous avions
établi ensemble.*
Si vous souhaitez en discuter, veuillez m'en faire part. Merci.

Le Directeur

* * *

Lycée technique Jolio-Curie   Château-Thierry, le 3-3-19..
6, rue J.-de-La-Fontaine
02... Château-Thierry

Madame Ribot,

*L'élève Grégory Ménard sera absent pour 3 semaines à compter d'aujourd'hui.
Il doit subir une intervention chirurgicale.*
Merci de bien vouloir prévenir M. Dupuits et les autres professeurs de la classe.

* * *

Demande de location

Patrick et Sophie Carmino   Nice, le 22 septembre 19..
1, rue G.-Bizet
06... Nice
Tél. ...

AGENCE SEGURANE
123, bd Gambetta
06... Nice

Monsieur,

*Mariés depuis deux mois, nous recherchons un appartement F3 à louer à Nice-
même ou aux alentours. Si vous pouvez nous proposer ce type de logement, nous vous
serions obligés de nous contacter rapidement.*
Recevez, Monsieur, l'expression de nos très sincères salutations.

P. et S. Carmino

Il est toutefois préférable, dans ce cas de figure, de ne pas se contenter d'écrire : il faut téléphoner tous les jours aux agences de la ville pour se mettre sur les rangs de tous ceux qui,
comme vous, essaient de dénicher un logement dans une grande ville, afin de ne pas être
pris de vitesse, ni rater une occasion.

Demande de renseignements

1. Vous écrivez à la mairie pour compléter vos recherches généalogiques.

M. Maurice Brenaud   Paris, le 20 février 19..
57, boulevard Voltaire
75... Paris

État civil de la
Mairie d'Amiens

Monsieur le Secrétaire de Mairie,

Mes parents sont nés et décédés dans la ville d'Amiens mais la plupart des papiers de famille ont été détruits dans un sinistre. Or, j'aimerais savoir s'il est possible d'obtenir l'acte de décès d'une cousine, fille d'une sœur de ma mère, morte l'année même de sa naissance en 1924, alors que seuls les mois de naissance et de décès, soit mars et septembre, et non jours précis sont connus d'après les indications portées au dos d'une photo.

Le nom de la petite fille est : LUNEL Maryse, Françoise. Ce document, si vous pouvez me le procurer, devant en principe indiquer les parents de l'enfant, me permettrait de compléter les recherches généalogiques entreprises pour le compte de notre famille, dans une nouvelle branche collatérale.

D'avance je vous remercie de votre complaisance, et vous prie d'agréer, Monsieur le Secrétaire de Mairie, l'expression de mes respectueuses salutations.

(Signature)

P.J. : *ci-joint une enveloppe timbrée libellée à mon adresse pour la réponse.*

* * *

2. Pour un voyage à l'étranger :
Vous pouvez écrire à l'organisme intéressé ou à l'agence de voyage sur simple carte.

M. et Mme Gabriel Sidoine   Saint-Sauveur-en-Puisaye, le 6 mai 19..
1, place Colette
89... Saint-Sauveur-en-Puisaye

"Clio", Les Amis de l'Histoire
678, av. Edmond-Rpsta,d
13... Marseille

Intéressés par la formule "Rencontre avec la Grèce classique" proposée par votre catalogue — 15 jours du 13 au 27 août, ... frs par personne —, nous vous serions obligés de bien vouloir nous indiquer les modalités de réservation.

Un seul problème nous préoccupe, il nous faut impérativement partir de Nice pour confier notre fils de sept ans à ses grands-parents.

Merci de bien vouloir nous rendre réponse rapidement afin que nous puissions organiser notre départ.

Sincères salutations.
(Signature)

3. Pour un séjour linguistique :

Mme et M. Jules Pindu
Tréguier, le 12 mars 19..
22, rue E.-Renan
22... Tréguier

Syndicat d'initiative d'Arles
8, place Van-Gogh
13... Arles

Madame la Secrétaire,

En vue d'un séjour dans votre belle région, je vous serais obligé de bien vouloir m'adresser quelques dépliants, ceux concernant les hôtels en particulier, qui compléteront les informations plus générales du Guide Michelin.
Avec mes remerciements pour votre obligeance, je vous prie d'agréer, Madame la Secrétaire, mes courtoises salutations.

(Signature)

P.J. : *ci-joint quelques timbres pour les frais de port.*

* * *

Demande de réservation

Vous écrivez pour confirmer la location d'une chambre et verser des arrhes :

M. et Mme Marcel Tinayre   Lyon, le 2 mars 19..
8, rue Jean-Larrivé
69... Lyon

Auberge du "Moulin Moussu"
La Colle-sur-Loup 06...
Alpes-Maritimes

Monsieur,

Suite à notre conversation téléphonique de ce jour, je vous fais parvenir sous ce pli un chèque de la somme de... frs pour confirmer notre réservation d'une chambre à deux personnes avec salle de bain, du 28 juin au 6 juillet, soit huit nuitées.
Vous voudrez bien prendre bonne note de notre arrivée pour la date indiquée : et dans l'attente de ce séjour dont nous nous réjouissons à l'avance, nous vous prions d'agréer, Monsieur, l'assurance de nos sentiments les meilleurs.
Monsieur Marcel Tinayre
(Signature)

P.J. : *un chèque bancaire.*

Demande d'entrée dans une maison de retraite

Vous écrivez à la directrice d'une maison de retraite pour demander à y faire entrer votre père qui ne peut plus continuer à vivre seul.

M. MAURIN Rémy   Les Arcs, le 23 novembre 19..
Place des Platanes
Les Arcs 73…
Pension "L'OLIVERAIE"
Chemin des Cigales
Le Luc

Madame la Directrice,

Je vous écris au nom de mes sœurs autant que du mien à propos de notre père âgé de 79 ans, actuellement en convalescence après une courte maladie dont il s'est plutôt bien remis. Mais, vu son âge, et nos activités assez absorbantes pour chacun de nous ne nous permettant pas de le prendre avec nous — le retour à son domicile étant désormais hors de question parce qu'il serait trop isolé —, nous serions désireux, mes sœurs et moi, de le savoir accueilli avec les meilleures conditions de soins et de surveillance dans une maison de retraite convenable. Votre établissement nous a été vivement recommandé et sa proximité nous permettrait de continuer à l'entourer de notre affection assez facilement. Je pense qu'il pourrait alors sans trop de peine s'habituer à ce nouveau genre de vie.

Le montant total des retraites et pensions qu'il perçoit des différentes caisses n'étant pas considérable, nous aurons sans doute à nous mettre d'accord entre nous pour compléter à concurrence du montant exigé mensuellement de vos pensionnaires, si toutefois une vacance dans un avenir assez proche rendait envisageable l'admission chez vous de notre père. Compte tenu de son âge, et à l'exception d'une légère surdité, il ne souffre d'aucun handicap sérieux et il a su au demeurant conserver un caractère paisible et accommodant.

Nous vous serions reconnaissants de nous faire savoir, le cas échéant, quand et à quelles conditions il vous serait possible de l'admettre dans votre maison, le docteur Bertier, médecin chef du service de cardiologie de l'hôpital de La Fourche, que vous connaissez sans doute, se tenant d'ores et déjà à votre disposition pour vous fournir tous renseignements utiles sur son dossier médical.

Avec l'espoir que votre réponse pourra nous soulager d'un souci bien légitime et que nous aurons prochainement le plaisir de faire votre connaissance, je vous prie d'agréer, Madame le Directrice, l'expression de mes hommages respectueux.

M. Maurin
(Signature)

Demande de devis

Yves VIDAL
4, rue de Paris
33... Bordeaux

> Monsieur BERGERAC
> Entrepreneur
> 3, rue Verdi
> Bordeaux 33...

Cher Monsieur,

Je vous serais obligé de passer 4, rue de Paris, examiner la façade de l'immeuble, à propos de laquelle je désirerais faire une reprise des peintures.
Vous me communiquerez ensuite votre devis.
Mes meilleurs sentiments.

> *Y. Vidal*
> 12 mai 19...

* * *

Demande de rendez-vous

Demande adressée sur simple carte de visite.

> Gérard CASSIN
> *Entrepreneurs*
> Rennes

Serait heureux de vous rencontrer un prochain jour.
Il vous remercie d'avance de bien vouloir lui fixer un rendez-vous,
et vous assure de ses sentiments dévoués.

Tél....   13, rue Vasselot

* * *

• Rendez-vous fixé :

> Philippe ROULLEAU
> Architecte
>
> *Aura le plaisir de vous recevoir le jeudi 13 avril à 14 heures, et vous assure de ses sentiments distingués.*

• Rendez-vous reporté :

Désolé de ne rien pouvoir vous proposer avant le mois prochain.
Je me permettrai de vous rappeler afin que nous puissions convenir
ensemble d'une heure de rendez-vous
Sincères salutations.

Sur une carte de visite, on peut se permettre de négliger la formule d'appel et de ne pas signer pour aller directement à l'objet du message.

Monsieur,

Je vous serais reconnaissant de bien vouloir m'indiquer
quand je pourrais vous rencontrer.
Dans cette attente, je vous prie de croire, Monsieur, à
l'expression de mes meilleures salutations.

* * *

• Lettre circonstanciée adressée à un conseiller juridique.

M. Sébastien VIGNOL   Carqueiranne, le 2 avril 19..
Maison de la "Belle-Assiette"
Carqueiranne-Le Port

M. André DONATIEN
22, avenue Gambetta
83... Hyères
Conseiller Juridique

Monsieur,

Je vous serais très obligé de bien vouloir me recevoir à votre Cabinet si vous pouvez me fixer un rendez-vous dans les jours qui viennent, en début d'après-midi de préférence n'importe quel jour de la semaine, afin que je puisse vous exposer mon affaire plus en détail.

J'avais consenti un prêt à mon beau-frère, tout à fait à l'amiable. Il exerçait le même commerce que moi et connaissait quelques difficultés financières. Nous n'avions pas établi de traites puisque ce n'était pas officiel, mais il m'avait signé une reconnaissance de dette dont je ne pensais pas avoir besoin, son brusque décès nous ayant tous surpris.

Ma sœur étant la seconde épouse, c'est avec la fille née d'un premier mariage que je vais avoir probablement affaire — héritière présumée que je ne connais pas et n'habitant pas la région —... Cela complique la situation et je ne sais pas du tout comment m'y prendre pour récupérer ma créance.

Je compte donc sur vous pour me guider dans la marche à suivre, tout en espérant ne pas être obligé d'engager une procédure que la somme en question ne justifierait peut-être pas.

Dans l'attente de notre rencontre, au jour et à l'heure qu'il vous conviendra de m'indiquer, je vous prie de bien vouloir agréer, Monsieur, mes très sincères salutations.

S. Vignol

Demande d'un nouveau rendez-vous

Pour état des lieux : lettre pour s'excuser de n'avoir pu tenir un engagement, les propriétaires demandent aux locataires un nouveau rendez-vous.

Tulle,le 19-9-19..

M. et Mme Jean Coutil
56, avenue de Montaigne
19... Tulle
Tél. .. ..

Madame, Monsieur,

N'ayant pu passer dans la fourchette horaire prévue hier, nous vous proposons de nous fixer un nouveau rendez-vous afin de visiter votre logement.
Dans l'attente, nous vous prions d'accepter nos excuses.
Veuillez agréer, Madame, Monsieur, l'expression de nos sentiments distingués.

J. Coutil

* * *

• Lettre adressée au directeur d'un collège en vue d'une inscription.

Marc Letillois   Blois, le 24 juin 19..
55, boulevard V.-Hugo
41... Blois
Tél. ...

Monsieur le Directeur,

Notre fils Éric doit passer en sixième à la fin de cette année scolaire et nous aimerions pouvoir l'inscrire dans votre établissement.
Nous vous serions très obligés de bien vouloir nous indiquer quelle sont les conditions d'inscription et les formalités à accomplir. Nous souhaiterions pouvoir vous rencontrer à votre convenance.
Dans cette attente, veuillez agréer, Monsieur le Directeur, l'expression de nos salutations distinguées.

Marc Letillois

Demande d'emploi

• CADRAGE DES OBJECTIFS

Généralement, tout chercheur d'emploi est confronté à une démarche quasi-obligatoire qui consiste à l'envoi d'un curriculum vitæ dactylographié accompagné d'une lettre de motivation manuscrite. Le contenu de la lettre d'accompagnement sera différent si l'on répond à une annonce ou si l'on procède à une candidature spontanée.

A. Le curriculum vitæ

1) - Présentation du curriculum vitæ : vous devez apporter le plus grand soin à la présentation de ce document qui doit décrire le plus simplement possible votre état civil, les études que vous avez suivies et vos aptitudes professionnelles. Les éléments essentiels de ce document doivent apparaître à la première lecture "en diagonale".

Sa lecture doit être très facile : il n'est pas manuscrit mais dactylographié. Il est préférable de l'établir à l'aide de matériel de traitement de texte qui permet d'une part, une impression laser ou par jet d'encre, et d'autre part l'enregistrement sur disquette afin de procéder à une mise à jour. Si vous ne disposez pas d'un tel matériel, vous pouvez faire appel à des entreprises spécialisées ainsi équipées.

L'ensemble des informations portées doit de préférence tenir sur une seule page. Il n'est pas nécessaire de décrire toutes les informations vous concernant. Par exemple, votre âge peut vous sembler un handicap : il n'est pas nécessaire de l'indiquer ; les diverses expériences professionnelles décrites permettront une approximation. Sa présentation doit susciter la curiosité et l'envie de vous convoquer à un entretien pour en savoir davantage.

Il doit avant tout présenter ce que vous pouvez apporter à l'entreprise plutôt que décrire dans le détail l'historique de votre expérience professionnelle. Une trop grande expérience peut faire peur à un chef d'entreprise qui hésitera à employer une personne plus qualifiée que lui.

2) - Composantes du curriculum vitæ :

• ÉTAT CIVIL :
    Mentions indispensables :
                - Nom :
                - Prénom
                - Adresse :
                - Téléphone

    Mentions facultatives :
                - Date de naissance ou âge
                - Lieu de naissance
                - Nationalité
                - Situation de famille

Il est conseillé d'y apposer une photo d'identité. Compte tenu du coût élevé représenté par des photos couleur de qualité, il est souhaitable de la coller ou de l'agrafer légèrement après avoir inscrit votre nom au verso : elle pourra ainsi vous être rendue en cas de candidature non retenue.

• *Titre professionnel* : le responsable d'entreprise doit pouvoir situer immédiatement votre qualification professionnelle sans être obligé de lire attentivement votre curriculum vitæ. Ceci est évidemment plus important dans le cas d'une candidature spontanée.

Donnez un titre à votre curriculum vitæ, par exemple :
"COMPTABLE CONFIRMÉ ; Fonction exercée pendant 10 ANS"

• *Études et diplômes* : vous devez indiquer les études suivies et les diplômes obtenus, préciser option ou discipline, année et lieu d'obtention.

Dans le cas d'une expérience professionnelle déjà acquise, il n'est pas nécessaire de détailler l'ensemble des études ni de citer tout les diplômes ; seul le niveau ou le diplôme le plus important sera mentionné. Néanmoins, il ne fut pas oublier de citer les divers stages de formation permanente effectués depuis la fin des études scolaires.

Dans le cas de la recherche d'un premier emploi, on détaillera davantage ce poste afin d'étoffer le curriculum vitæ. On insistera bien sur les stages effectués en entreprise pendant la scolarité (date et durée).

• *Expérience professionnelle* :précisez la nature des emplois exercés, leur durée et les références de vos précédents employeurs.

Énumérez les tâches les plus importantes et éventuellement lorsque cela est quantifiable, les résultats que vous avez obtenus. Par exemple, un vendeur précisera que sur le secteur qui lui était affecté, il a réalisé un chiffre d'affaires en progression de 10% en 1992, 20% en 1993 et 30% en 1994...

3) - Exemple de curriculum vitæ

Nom :
Prénom :
Adresse :
Téléphone :

COMPTABLE II

- Études et diplômes :

1990   Niveau BTS Comptabilité et Gestion d'Entreprise
UIT de Gestion - LE MANS
1988   BAC G2 Techniques Quantitatives de Gestion
Lycée technique d'État - LAVAL

Formation continue : Analyse financière - Bilan fiscal - Situation de gestion
-

- Expérience professionnelle :

1990 - 1992   Sté X... à LAVAL (situer l'importance : Chiffre d'affaires,
effectif...)
                Assistante du comptable
                - suivi des comptes clients et fournisseurs
                - rapprochements bancaires
                - suivi du budget mensuel...

1992 - 1995   Sté Y...
                Responsable du service
                - animation d'une équipe de 5 personnes
                - négociation et relations avec les banques
                - préparation des bilans...

- Compétences :
- comptabilité générale
- comptabilité analytique
- établissement de la paie
- relations avec organismes sociaux et fiscaux
- bonne connaissance des outils informatiques : (citer les logiciels pratiqués...)
- anglais parlé et écrit

- Divers :
- permis B, véhicule personnel
- âge (éventuellement)

Loisirs :
- lecture, cinéma, musique
- pratique d'un sport...

B - La lettre d'accompagnement

La première impression doit être "la bonne" : les personnes qui occupent des postes de responsabilité (chefs d'entreprise, directeurs du personnel, etc.) reçoivent chaque jour une avalanche de lettres et parmi celles-ci, de nombreuses demandes d'emploi. Pensez que vous ne serez pas forcément lu et ne négligez rien pour que votre lettre de candidature soit retenue, du moins le temps d'une lecture.

• *Une lettre bien présentée :* sachez tout d'abord que toute lettre mal présentée, mal calligraphiée ou mal orthographiée, va généralement dans la corbeille à papier. Le papier doit être blanc (comme l'enveloppe), l'encre bleue ou noire. Écrivez de votre plus belle plume, après avoir fait un premier essai au brouillon que vous aurez demandé à une tierce personne de corriger (orthographe, style, etc.). Relisez-vous et faites-vous corriger une nouvelle fois soigneusement.

• *Une lettre manuscrite :* écrivez vous-même. Votre écriture sera sans doute analysée et il serait fâcheux pour vous qu'elle ne vous ressemblât pas : on ne manquerait pas d'en faire la remarque au cours d'un entretien ultérieur et vous passeriez pour malhonnête.

• *Une lettre argumentée :* vous êtes l'homme (ou la femme) de l'emploi.
Vous connaissez les exigences du poste pour lequel vous postulez. Vous avez bien étudié le texte de l'annonce (ou la vie de l'entreprise s'il s'agit d'une candidature spontanée), vous avez bien mesuré les avantages et les servitudes de l'emploi avant de prendre la plume. Ne négligez aucun des détails qui témoignent de votre parfaite connaissance du métier et d'une bonne compréhension de ses contraintes ; c'est une preuve de sérieux, écrivez en adulte responsable : votre éventuel employeur doit en être persuadé, vous avez réfléchi à la question.
Ne manquez surtout pas de dégager les atouts qui sont les vôtres : diplômes, antécédents professionnels et familiaux (expérience professionnelle et expérience de vie), traits de caractère (vous avez de la personnalité, mais pas trop), style de vie (goûts, activités de loisirs, etc.), vie privée (état civil : célibataire ou marié avec ou sans enfants, etc.), même si certains de ces renseignements figurent déjà sur votre curriculum vitæ. N'hésitez pas à parler de vos motivation personnelles (proximité de votre résidence, du lieu de travail de votre femme, de l'école des enfants, d'un club de sport, d'un parc, etc.), ni à signaler une petite "faiblesse" (vous êtes amateur de vieux meubles, vous êtes un(e) passionné(e) de tennis, de musique, de lecture, etc.). Sensibilisez votre correspondant à vous, à votre vie. Les places sont chères et pour retenir l'attention, il faut sortir du rang, parler un peu de soi ! Simplicité et franchise de bon aloi attireront la sympathie de votre correspondant, à condition bien sûr que les données précédentes l'auront convaincu que vous faites l'affaire : entre deux postulants à qualifications égales, il choisira le plus sympathique.
Pour finir, mettez bien en regard vos qualités et celles requises pour remplir les conditions de l'emploi. Votre "futur" employeur doit être persuadé maintenant que vous êtes l'homme (ou la femme) de la situation, son intérêt (et non le vôtre) est de retenir votre candidature. Vous ne quémandez pas, vous offrez vos services. N'exagérez tout de même pas : l'orgueil n'est pas compatible avec les emplois subalternes !

Ces indications sont, bien sûr, des conseils généraux : votre lettre de candidature sera adaptée à votre personnalité et... au type d'emploi postulé. En fait, c'est le contenu du curriculum vitæ qui déterminera (ou pas) votre potentiel employeur à lire cette lettre.

Le défaut pour ce type de lettres est de craindre de paraître obséquieux alors qu'on ne fait que respecter les conventions sociales en utilisant les formules consacrées. Ne craignez donc pas d'en user et ne soyez pas réticent, votre raideur révélerait votre manque d'usage ou pis encore, on pourrait croire que vous vous montrez délibérément cavalier.

L'apparente obséquiosité de ces formules ne vous engage à rien : elle appartient à un code convenu et celles-ci sont devenues de véritables poncifs.

N'en faites pas trop tout de même, restez digne, courtois, sûr de vous et... respectueux des formes. Proscrivez tout de même les formules pompeuses et flatteuses.

• QUELQUES EXEMPLES DE LETTRES D'ACCOMPAGNEMENT

À vous de les personnaliser en fonction de vos aptitudes et de vos motivations.

1. Réponse à une annonce

A. Lettre de candidature "type" :

Monsieur le Directeur,

J'ai l'honneur de solliciter de votre (haute) bienveillance le poste de... que vous proposez dans votre annonce parue au journal "..." du 2 septembre 19..

Je crois pouvoir répondre aux conditions que vous exigez et vous prie de trouver ci-joint un curriculum vitæ qui vous donnera toutes les précisions pouvant vous être nécessaires quant aux études que j'ai suivies et aux emplois qui m'ont été confiés.

Je me tiens à votre disposition pour me présenter à vos bureaux aux jour et heure qui vous conviendront.

J'espère que vous pourrez accueillir favorablement ma demande et vous prie d'agréer, Monsieur le Directeur, mes salutations empressées.

P.J. curriculum vitæ et certificats de mes précédents employeurs.

* * *

B. Lettre de candidature un peu plus motivée

Votre annonce : (citer le nom du journal, n° de la page, date de parution, intitulé de l'emploi recherché)

Madame, Monsieur,

En réponse à votre annonce ci-dessus référencée, je vous adresse ma candidature pour le poste de comptable que vous proposez.

Mon expérience professionnelle, décrite dans mon curriculum vitæ ci-joint, me permet maintenant de prendre en charge l'ensemble de vos tâches administratives et comptables telles que vous les décrivez dans l'annonce.

Sur les bases de mes connaissances techniques, j'ai su faire preuve de capacités relationnelles, de rigueur et d'esprit d'initiative. Ce sont des atouts que j'aimerais apporter à votre entreprise.

Je souhaiterais pouvoir en discuter de manière plus approfondie lors de l'entretien que vous voudrez bien me fixer.

Dans cette attente, je vous prie d'agréer, Madame, Monsieur, l'expression de mes respectueuses salutations.

* * *

C. Lettre de candidature "originale"

Madame, Monsieur,

Voilà quelques semaines, j'ai rencontré deux grands yeux bleus et un sourire magnifique. Il m'arrive de ne pas en dormir la nuit. Chaque fois que nous nous revoyons, elle me donne l'impression d'avoir compris que nous étions faits l'un pour l'autre. Malheureusement, je ne lui ai toujours pas déclaré ma flamme : je n'ose pas lui avouer que je n'ai pas de travail. C'est pour cela que je me permets de vous écrire.

Je pense que vous aimez les histoires d'amour qui se terminent bien et d'autre part, je pense avoir les qualités nécessaires pour le poste de manutentionnaire que vous recherchez.

Certainement, vous aurez à cœur de me rencontrer pour de plus amples renseignements.

Recevez, Madame, Monsieur, l'expression de mes salutations distinguées.

2. Lettre de candidature spontanée

Madame, Monsieur,

Intégrer une entreprise à taille humaine telle que la vôtre fait actuellement partie de mon projet professionnel. En effet, je pense que l'on s'investit plus et mieux dans une PME que dans toute autre société.

Mes divers emplois occupés (ou, mes nombreux stages effectués) au cours des dernières années m'ont permis de démontrer des capacités d'analyse, de synthèse, de diagnostic et une aisance relationnelle.

Ce sont des atouts que j'aimerais à présent apporter à votre société pour contribuer à son développement.

Je serais heureux de vous donner plus de détails lors d'un prochain entretien et dans cette attente, je vous prie de croire, Madame, Monsieur, à l'assurance de ma considération distinguée.

N'hésitez pas à faire état de :

• La naissance de votre "vocation : amour du métier transmis par votre père, un parent ou un proche ; occasion que vous avez eue d'approcher ce type d'emploi ou d'entreprise (au cours d'un emploi saisonnier, d'un stage d'entreprise, d'un apprentissage chez un artisan, de l'aide apportée à un ami, un parent, un voisin que vous avez regardé travailler, au cours d'un voyage, etc.) ; goût du contact, de la communication, intérêt pour les langues étrangères : passion des voyages ou de la vie sédentaire ; attrait pour le commerce, sens des affaires" ; amour du travail bien fait et attrait pour les tâches délicates, requérant de la minutie ; possibilité d'exercer votre sens de l'ordre et de la présentation soignée, etc.

— *J'ai grandi dans l'amour de ce métier. Très jeune, j'ai appris... Je n'aurai donc aucun mal à...*

— *Ce genre d'emploi me convient parfaitement. J'aime le contact avec la clientèle, et la possibilité d'utiliser les langues étrangères représente pour moi une grande satisfaction...*

• Vos connaissances (votre expérience "pratique" sinon professionnelle !) : stages, travaux saisonniers, expérience professionnelle acquise "sur le tas" auprès d'un proche (qui serait sans doute susceptible de la confirmer par une lettre de recommandation) ; études, niveau ; pratique d'une ou de plusieurs langues étrangères ; notions d'informatique, de comptabilité, de traitement de texte, de marketing, etc.

• Vos qualités personnelles : sens du contact, caractère minutieux, entreprenant, appliqué. ET SURTOUT, vous êtes UN TRAVAILLEUR ACHARNÉ, vous n'épargnerez ni votre peine, ni votre temps. Il faut ce qu'il faut pour "décrocher" UN PREMIER EMPLOI ! Les places sont chères et il est tellement difficile d'entrer dans la vie professionnelle, de... DÉBUTER. Courage !

Dans ce cas, plus que jamais, il faut retenir l'attention, et pour sortir du rang vous devez parler un peu de vous, sensibiliser le premier employeur potentiel à votre vie, attirer sa sympathie. Les références de votre curriculum vitae ne sont pas de nature à lui donner des raisons sérieuses de retenir votre candidature, il vous faut donc jouer la carte de "la séduction" (sans tomber dans l'excès) et PERSONNALISER votre demande d'emploi.

Choix de formules pour la lettre de candidature :

• Quelques exemples de débuts et de fins de lettre.

Comme toujours en matière de correspondance, le plus difficile est de commencer une lettre et de la terminer.

1. Débuts de lettre de candidature :

— *J'ai l'honneur de présenter ma candidature à l'emploi de..., actuellement vacant dans votre entreprise.*
— *J'apprends par M...* (nom et qualités, qui permettront de situer la personne qui vous a renseigné) *qu'un emploi de... va se trouver vacant à la fin du mois de..., dans votre bureau.*
J'ai l'honneur de solliciter cette place.
— *C'est sur les conseils de M.... qui a travaillé longtemps dans votre entreprise que je me permets de vous écrire.*
Vous recherchez, je crois, des...

2. Fins de lettre de candidature :

N'oubliez pas que vous êtes "demandeur", ne ménagez donc pas les formules de politesse qui sont autant de signes de votre déférence : les lettres de candidature entrent dans le cadre des lettres adressées par un inférieur à un supérieur.

— *Dans l'espoir d'une réponse favorable, je vous prie d'agréer, Monsieur le Directeur, l'expression de mes sentiments dévoués.*

— *Dans l'espoir que vous voudrez bien me fixer un rendez-vous, je vous prie d'agréer, Monsieur, l'expression de mes respectueuses salutations.*

— *Si ma proposition pouvait retenir vote attention, je vous serais très reconnaissant de bien vouloir me convoquer, afin que je puisse vous soumettre mes certificats, diplômes et références.*
J'accepterais volontiers, en cas de besoin, d'effectuer un essai probatoire.
Je vous prie d'agréer, Monsieur le Directeur, l'expression de mes très respectueuses salutations.

— *Je joins à ma demande toutes les pièces et certificats que je crois utiles, me réservant de vous fournir de vive voix toutes précisions complémentaires si vous voulez bien, ainsi que je l'espère, me convoquer.*
Veuillez agréer, Monsieur le Directeur, l'expression de mes sentiments dévoués.

— *Je joins à cette lettre des copies certifiées conformes de mes diplômes, titres et références.*
Dans l'espoir que ma demande retiendra votre bienveillante attention, je vous prie d'agréer, Messieurs, l'expression de mes sentiments dévoués.

3. Fautes à éviter :

• Ne pas écrire : *Dans l'attente de votre réponse, veuillez agréer...*, ce qui fait intervenir deux sujets dans la phrase, mais : *Dans l'attente de votre réponse, je vous prie d'agréer, Monsieur le Directeur, l'expression de...*

• Ne pas écrire : *Veuillez croire en mes sentiments...* Écrivez : *Croyez à l'assurance (ou à l'expression) de mes meilleurs sentiments.*

• Ne rejetez jamais la formule de politesse au dos de la lettre et n'oubliez pas que la formule d'appel doit obligatoirement figurer à nouveau, entre deux virgules, à la fin de la lettre :

Monsieur le Directeur,

J'ai l'honneur de solliciter de votre bienveillance l'emploi de...
....
Dans l'attente, je vous prie d'agréer,
Monsieur le Directeur, *l'expression de mes plus respectueuses salutations.*

• Arrangez-vous pour ne pas couper en fin de ligne l'expression réitérée de la formule d'appel figurant entre les deux virgules dans la formule finale : essayez, soit de caser le tout dans l'avant dernière ligne, soit de rejeter le tout dans la dernière comme nous l'avons fait ci-dessus.

TABLE DES MATIÈRES

II. LA LETTRE PERSONNELLE

III. LA LETTRE IMPERSONNELLE

NOTES